ANTIGONE

ÉLECTRE

POCKET CLASSIQUES

collection dirigée par Claude AZIZA

ESCHYLE - SOPHOCLE - EURIPIDE

ANTIGONE - ÉLECTRE

Textes choisis, présentés et commentés
par Annie COLLOGNAT-BARÈS

SOMMAIRE

ISBN 2-266-08765-7

PRÉFACE

Antigone : « Je ne suis pas née pour partager la haine,
mais l'amour »
Électre : « Le malheur force à être méchant » [1]

Filles et sœurs

Deux très jeunes filles dans un monde de héros, rois ou princes, deux adolescentes qui ont oublié l'insouciance de leur âge [2] – mais l'ont-elles jamais éprouvée ? – pour s'imposer une mission avec une volonté inébranlable et farouche : Antigone et Électre.

Fille d'Œdipe, roi de Thèbes [3], et fille d'Agamemnon, roi d'Argos, en un temps – mythique et antique – où une femme est bien d'abord « fille de... ».

Sœur de Polynice et sœur d'Oreste, dans une dynastie où l'héritier mâle doit porter le poids de la malédiction familiale. Elles sont prêtes à tout pour l'affection de ce frère, mort ou vivant. Leur tragédie pourrait s'appeler *philadelphia* [4].

1. *Antigone*, Sophocle, vers 523 (p. 58) et *Électre*, Sophocle, vers 309 (p. 93).

2. « Ce n'est pas dans les danses, dans les travaux des jeunes filles, que les dieux aujourd'hui te tracent ton chemin », commente Jocaste pour sa fille Antigone (*Les Phéniciennes*, Euripide, p. 34).

3. Pour tous les noms propres, personnages et lieux, voir l'index p. 163.

4. Du verbe grec *philein*, aimer, et du nom *adelphos*, frère. Comme le déclare Antigone avec une douleur pathétique, un époux ou un enfant peuvent se « remplacer », pas un frère : « puisque ma mère et mon père sont partis dans l'Hadès, la perte d'un frère n'est plus réparable » (*Antigone*, Sophocle, p. 66).

Dans le culte du père et le dévouement au frère, chacune croit construire son destin. Mais qui peut échapper à la loi de l'*Anankè* [1] ?

Leur histoire, mythique et tragique, se déroule avec les mêmes accents pathétiques, les mêmes élans et les mêmes tourments.

Même fardeau de l'hérédité familiale : comment vivre simplement et heureusement quand on est la dernière représentante des Atrides ou des Labdacides [2] ?

Même détresse : princesses de sang royal, elles sont condamnées à la misère pour être restées fidèles à leur père. Antigone, qui conduit Œdipe aveugle sur les routes de l'exil, a tout abandonné : « Moi, laissant à mes chères compagnes des regrets et des larmes, je m'en vais loin de ma terre natale, condamnée à une vie errante peu faite pour une jeune fille » (*Les Phéniciennes*, Euripide, p. 46). Électre, qui vit dans le souvenir d'Agamemnon assassiné, n'est plus qu'une pitoyable prisonnière au palais familial : « comme une humble étrangère, je remplis des fonctions d'esclave dans la maison de mon père, couverte de ces vils habits, à peine nourrie de pauvres aliments » (*Électre*, Sophocle, p. 91).

Cet attachement au père, indéfectible, voire passionné dans le cas d'Électre, n'a pas manqué de retenir l'attention de la psychanalyse. En 1913, Carl Gustav Jung reprend le désormais « classique » schéma du complexe œdipien, fixé par Freud, pour définir à son tour un « complexe d'Électre » comme « forme féminine du complexe d'inceste [3] ». Clytemnestre en devinait déjà la manifestation en apostrophant ainsi sa fille avec une amertume lucide : « Ma fille, la nature t'a faite pour chérir toujours ton père. Ainsi va le monde : les uns préfèrent leur père,

1. Voir le « Petit dictionnaire grec pour lire le mythe et la tragédie » p. 185.

2. On trouvera une présentation des familles dans les dossiers « Les Atrides » (p. 171) et « Les Labdacides » (p. 179).

3. Voir Jung, *Entretiens avec R. Evans*, Petite Bibliothèque Payot, Paris, 1970.

les autres aiment mieux leur mère. » (*Électre,* Euripide, p. 137). Giraudoux, dans son *Électre* (1937), en retient bien la leçon en exacerbant cette haine viscérale et jalouse qui déchire la mère et la fille chez Euripide.

Le frère tant aimé, image de substitution traditionnelle du père, est naturellement l'autre pôle de cet amour filial. « Que ne puis-je, tel qu'un nuage rapide, voler à travers les airs jusqu'à mon frère chéri, et serrer dans mes bras, après une si longue absence, ce malheureux exilé ! », s'exalte la petite Antigone venue voir l'armée de Polynice du haut des remparts (*Les Phéniciennes*, Euripide, p. 33). « Que je suis malheureuse, si je te perds à jamais ! », s'écrie-t-elle avec angoisse quand il est menacé (*Œdipe à Colone*, Sophocle, p. 12). Il n'y a qu'à lire chez les trois tragiques la fameuse « scène de reconnaissance » d'Oreste par Électre [1] pour ressentir toute l'émotion de la sœur qui retrouve son frère adoré après de longues années d'absence. « Ô cher Oreste ! ô mon frère, nom le plus doux pour une sœur, toi qui n'es qu'une âme avec elle ! » (*Oreste*, Euripide, p. 159).

Cependant, cette dévotion au père et au frère n'exclut pas une émouvante sensibilité féminine chez ces adolescentes qui aspirent malgré tout au bonheur des filles de leur âge. L'une comme l'autre voudraient se marier – comme en témoigne la discrète mais pathétique figure d'Hémon, le fiancé d'Antigone chez Sophocle –, l'une et l'autre souffrent de leur solitude. C'est Antigone qui l'exprime sans doute avec le plus d'émotion au moment de la « descente au tombeau » où elle va être enterrée vivante : « Sans consolations, sans amis, sans époux, me voici engagée dans la route fatale : je ne verrai plus l'éclat sacré du jour » (*Antigone*, Sophocle, p. 65). Certes Électre épouse le fade Pylade, mais ce mariage imposé ressemble plus à un enterrement du bonheur, dans l'exil loin des siens (*Électre*, Euripide, pp. 142-143).

1. Voir *Les Choéphores* d'Eschyle (pp. 6-77), *Électre* de Sophocle (pp. 104-105) et *Électre* d'Euripide (pp. 125-126).

Tendresse et dureté : dans la force d'une volonté qui ne saurait fléchir, Antigone et Électre manifestent un caractère indomptable. « L'esprit inflexible du père se reconnaît dans le caractère inflexible de la fille ; elle ne sait point céder à l'infortune » (*Antigone*, Sophocle, p. 56). « Ô toi, qui joins un cœur viril aux grâces qui te distinguent entre toutes les femmes », admire Oreste face à l'énergie de sa sœur (*Oreste*, Euripide, vers 1203-1204). Dures, elles peuvent l'être jusqu'à la méchanceté, lorsqu'elles rabrouent une sœur trop timorée (Chrysothémis, sœur d'Électre, Ismène, sœur d'Antigone) que Sophocle a placée à leurs côtés comme un « faire-valoir », en guise de « repoussoir » face à leur caractère si bien trempé : « je n'aime pas ceux qui n'aiment qu'en paroles [...] Nous avons choisi, toi la vie, moi la mort », jette avec mépris Antigone à Ismène (*Antigone*, Sophocle, p. 59). Jusqu'à la haine d'Électre, qui manifeste cette « cruauté de jeune Atride » dont parle si bien Charles Péguy [1] ; son excitation avide de sang maternel en manifeste toute la violence, chez Sophocle, comme chez Euripide, au moment du matricide ; c'est elle qui arme véritablement le bras vengeur d'Oreste : « Frappe, redouble les coups », lui crie-t-elle depuis la porte du palais (*Électre*, Sophocle, p. 109). Une Antigone « noire », « née pour haïr », entièrement absorbée par la punition de la mère adultère et de l'amant meurtrier.

Avec la même détermination, celle du « tout ou rien », Antigone et Électre comptent au nombre de ces « dix ou quinze femmes à histoires qui ont sauvé le monde de l'égoïsme et du bonheur », car « le bonheur n'a jamais été le lot de ceux qui s'acharnent » : elles sont « la vérité sans résidu, la lampe sans mazout, la lumière sans mèche », pour reprendre les expressions de Giraudoux pour son héroïne (*Électre*). Toujours tendues vers un but unique – enterrer Polynice pour l'une, tuer Clytemnestre et Égisthe pour l'autre –, c'est leur acte qu'elles revendiquent avec orgueil : ni l'une ni l'autre n'admet d'en par-

1. Voir « Solvuntur objecta », paru en 1910 sous le titre *Victor-Marie, comte Hugo*, Gallimard, Paris, 1934, p. 159.

tager la responsabilité (Antigone rejette Ismène, Électre s'affirme comme instigatrice du matricide).

Pour suivre l'itinéraire tragique

Les pièces sont ici présentées dans un ordre privilégiant leur cohérence dramatique – au sens étymologique du terme *drama* (déroulement de l'action sur scène) – plutôt que leur succession chronologique : on pourra y lire une sorte de « roman » d'Antigone et d'Électre à travers les extraits des huit tragédies antiques où elles interviennent [1]. Pour Antigone : son errance angoissée sur la route de l'exil où elle accompagne son père après que celui-ci a découvert le terrible secret de ses origines (*Œdipe à Colone* de Sophocle), son désespoir de voir s'affronter jusqu'à la mort ses frères Étéocle et Polynice (*Les Sept contre Thèbes* d'Eschyle, *Les Phéniciennes*, d'Euripide), sa décision d'affronter les lois de Créon pour donner une sépulture à Polynice (*Antigone* de Sophocle).

Pour Électre : son attente et son bonheur de retrouver son frère Oreste chargé de venger le meurtre de leur père (*Les Choéphores* d'Eschyle), sa détermination à aider, voire à guider son frère dans les meurtres de Clytemnestre et d'Égisthe (*Électre* de Sophocle et d'Euripide), son dévouement à soigner son frère frappé de folie après l'horreur du matricide (*Oreste* d'Euripide).

Ainsi se dessine leur destin en quelques étapes d'un itinéraire pathétique, fait de deuil et de douleur, à la manière d'un chemin de croix sans la consolation de la foi. Il ne reste plus au public qu'à éprouver les effets de la *catharsis* chère à Aristote (voir p. 191).

Cependant, il ne faudra guère s'étonner des disparités entre certains éléments du drame, car il n'y a pas de légende unique, canonique, mais une matière mythique et tragique abondante, que chaque auteur travaille selon sa sensibilité et celle qu'il prête à son public, voire qu'un même auteur interprète différemment selon ses pièces.

1. On trouvera un tableau qui donne la structure intégrale de la pièce où les extraits proposés sont signalés par ➧.

Ainsi, Jocaste se pend en apprenant l'inceste chez Sophocle (*Œdipe roi*), alors qu'elle s'égorge sur le cadavre de ses fils Étéocle et Polynice chez Euripide (*Les Phéniciennes*). Ainsi, l'avenir d'Antigone après la mort de ses frères paraît incertain : part-elle sur les routes de l'exil pour servir de guide à son père aveugle ? est-elle condamnée à être enterrée vivante pour avoir donné une sépulture à Polynice contre l'ordre de Créon ? Sans trancher vraiment, Euripide propose les deux solutions dans le dénouement des *Phéniciennes* (voir pp. 43-46), tandis que Sophocle met alternativement les deux en scène dans *Œdipe à Colone* et dans *Antigone*. Un spectateur moderne attendrait sans doute plus de rationalité dans le drame : ce serait oublier que le public antique connaît ses « classiques » et attend de voir comment s'exercent les mécanismes de l'*agôn* [1], le conflit tragique, sans chercher à savoir comment Antigone pourra concilier les deux devoirs, celui de fille et de sœur dévouée.

De même, l'attitude d'Électre est diversement interprétée par les trois grands tragiques : on pourra constater que sa personnalité s'affirme au fur et à mesure que se dessine sa responsabilité dans la vengeance et le meurtre de Clytemnestre. Pieuse et douce alliée de son frère, elle est totalement exclue de la scène du matricide par Eschyle (*Les Choéphores*) ; Sophocle en fait une héroïne déterminée, faisant le guet pendant que son frère accomplit le geste meurtrier et l'excitant même à frapper par ses cris (*Électre*) ; enfin, Euripide lui donne l'entière initiative de l'exécution finale : c'est elle qui attire sa mère dans le piège fatal (mariée à un paysan, elle fait venir Clytemnestre chez elle sous prétexte de l'assister après un prétendu accouchement) ; c'est aussi elle qui guide le couteau d'Oreste, tandis qu'il ramène son manteau sur sa tête pour ne pas voir sa mère (*Électre*).

1. Voir le « Petit dictionnaire grec pour lire le mythe et la tragédie », p. 185.

Avec le monde nécessairement clos de la tragédie (elle met en scène « une histoire déjà terminée », un « destin » au sens populaire du terme), se pose le problème fondamental du « pourquoi ? » qui nourrit la conscience tragique même : « Le tragique apparaît d'emblée comme le pressentiment d'une culpabilité sans causes précises et dont pourtant l'évidence n'est à peu près pas discutée ; et du même mouvement qu'on admet cette nécessité, cette prédestination, on s'en détache, on s'en exonère en la reportant sur l'arbitraire divin ou quelque vague méchanceté métaphysique [1]. »

Les trois tragiques sont à la croisée des mentalités. Héritée de l'anthropomorphisme homérique, leur représentation des divinités intervenant directement dans l'action reste traditionnelle : le fameux *deus* (et souvent *dea*) *ex machina* donne aux spectateurs à voir « en chair et en os » ces dieux que les récits légendaires leur avaient rendus familiers (ainsi Apollon et Athéna apparaissant pour juger Oreste à la fin des *Euménides* d'Eschyle, ainsi les Dioscures apportant la paix d'un dénouement heureux dans l'*Électre* d'Euripide). Cependant, une réflexion nouvelle sur le pouvoir des forces « supérieures » invite ces mêmes spectateurs à les regarder « avec l'œil du citoyen », selon l'expression de Jean-Pierre Vernant et Pierre Vidal-Naquet : « La tragédie est le premier genre littéraire qui représente l'homme en situation d'agir, qui le place au carrefour d'une décision engageant son destin... Elle représente le héros comme un être déroutant, contradictoire et incompréhensible : agent mais aussi bien agi, coupable et pourtant innocent, lucide en même temps qu'aveugle [2]. »

On a pu dire d'Eschyle qu'il faisait de ses personnages les instruments obéissants de la puissance divine, tandis

1. J.-M. Domenach, *Le Retour du tragique*, Points Seuil, Paris, 1967.
2. J.-P. Vernant et P. Vidal-Naquet, *Mythe et tragédie en Grèce ancienne II*, La Découverte, Paris,1986.

que Sophocle exaltait avec sérénité la noblesse de héros assumant leur destin incarné par une autorité implacable. Mais l'un et l'autre proposent la vision optimiste d'une possible « réconciliation » entre hommes et dieux : Œdipe meurt apaisé et rejoint l'Olympe en une sublime apothéose (Sophocle, *Œdipe à Colone*) ; Oreste est acquitté grâce à l'intervention d'Apollon et d'Athéna (Eschyle, *Les Euménides*). Cependant, avec Euripide, le scepticisme des philosophes et des sophistes s'introduit dans la « mécanique » divine : « Que les dieux se plaisent aux amours interdites, je ne saurai l'admettre [...] ni même que l'un d'eux commande à tous les autres. Un dieu vraiment dieu ne saurait manquer de quoi que ce fût. Ce sont de pauvres récits de poètes » (*La Folie d'Héraclès*, Euripide, vers 1341-1346).

La *Polis* [1] fonde ses lois : nés sur le sol attique, Eschyle, Sophocle et Euripide ont exalté une Athènes idéale, championne des opprimés et gardienne de l'ordre divin, mais ils ont aussi expérimenté un nouveau laboratoire de la condition humaine, car l'espace théâtral représente une autre forme de l'*agôn* [1] qui met aux prises l'individu et la collectivité. Il en naît une nouvelle conception de la *dikè* [1], celle que les hommes construisent pour guider leur propre conduite en toute responsabilité : de la calme majesté d'Eschyle qui affirme le pouvoir des dieux à la contestation d'Euripide qui donne la priorité à celui des hommes, on peut mesurer le chemin parcouru. « Qu'est-ce qui se fait sans Zeus chez les humains ? qu'est-ce qui n'est pas de volonté divine ? » (le chœur, *Agamemnon*, Eschyle, vers 1485-1488). « Les dieux sont puissants. Puissante aussi celle qui les gouverne, la Loi. C'est parce qu'elle existe que nous croyons qu'il est des dieux, et que nous réglons notre vie en distinguant le juste de l'injuste » (*Hécube*, Euripide, vers 799-801). C'est à l'Homme, désormais, de donner au Cosmos – ce Monde qu'il a appris à ordonner – le sens de sa Mesure.

1. Voir la définition de ces notions dans le « Petit dictionnaire grec pour lire le mythe et la tragédie », p. 185.

Quels qu'en soient les enjeux, ce théâtre que nous qualifierions aujourd'hui d'« engagé » reste une école de sagesse aux yeux des Anciens. Pour déjouer les terribles pièges de l'*hubris* [1] et la traque des Érinyes, mieux vaut suivre la leçon du chœur : « La sagesse est le gage le plus certain du bonheur ; il ne faut jamais oublier ses devoirs envers les dieux ; l'orgueil attire des châtiments terribles et un tardif repentir » (derniers vers d'*Antigone*, Sophocle).

Pour nous, ce théâtre né dans le fameux « siècle d'or » athénien (voir p. 196) est aussi plus qu'un simple héritage littéraire. « Un élément essentiel de la pensée occidentale est né dans la littérature grecque : le tragique sort de la tragédie ; puis il revient constamment provoquer la réflexion philosophique et l'action politique, au point qu'on peut considérer les philosophies les plus actives et les révolutions les plus décisives de l'ère moderne comme des efforts pour affronter un défi lancé, il y a vingt-cinq siècles, sous le ciel grec [1]. » Puisque la tragédie ne peut naître qu'aux périodes de l'histoire où l'homme reconnaît l'inconfort de sa condition sans consentir à la résignation [2] », puisqu'« elle nous répète que le domaine de la raison, de l'ordre et de la justice est terriblement limité, et que nul progrès de notre science ou de nos moyens techniques ne l'élargira [3] », elle nous invite à relever « le défi », celui qu'ont incarné Antigone et Électre, car, selon la belle formule d'Ismaïl Kadaré, « les palais des Atrides sont plus nombreux que jamais de par le monde [4] ».

1. J.-M. Domenach, *Le Retour du tragique, op. cit.*
2. J. Morel, *La Tragédie*, Armand Colin, Paris, 1964.
3. G. Steiner, *La Mort de la tragédie*, 1961, rééd. Gallimard, Paris 1993.
4. I. Kadaré, *Eschyle ou l'Éternel perdant*, Fayard, Paris, 1988.

ANTIGONE

1
SOPHOCLE
ŒDIPE À COLONE
402 avant J.-C. (posthume)

L'action se passe dans le bourg de Colone, près d'Athènes, à l'orée du bois sacré des Euménides.	**Personnages :** Œdipe Antigone, fille d'Œdipe et de Jocaste Ismène, sœur d'Antigone Polynice, fils aîné d'Œdipe Créon, frère de Jocaste, roi de Thèbes Thésée, roi d'Athènes Un étranger Un messager Le chœur, composé de vieillards de Colone

Ne sont mentionnés ci-après que les personnages qui prennent la parole.

PROLOGUE [1] ➧ vers 1-116 : Œdipe, Antigone, un étranger	Œdipe, vieux et aveugle, entre en scène, conduit par sa fille Antigone. Ils apprennent d'un étranger qu'ils sont à Colone, près d'Athènes où règne Thésée. Œdipe espère y trouver le terme de sa longue errance, car personne n'a voulu l'accueillir depuis qu'il a été exilé de Thèbes par Créon.
PARODOS (entrée du chœur) vers 117-134 : le chœur	Le chœur cherche le vieux vagabond qui s'est introduit dans l'enclos sacré des Euménides.

1. L'organisation des pièces est présentée dans « Au théâtre à Athènes au Ve siècle av. J.-C. », p. 196. ➧ signale le début de chaque extrait choisi.

PREMIER ÉPISODE vers 135-323: Œdipe, le chœur, Antigone	Le chœur découvre Œdipe et l'interroge sur ses origines ; effrayé d'apprendre qui il est, il veut le chasser. Antigone implore alors sa pitié. Œdipe affirme son innocence et demande à rencontrer le roi du pays.
vers 324-550 : les mêmes, Ismène	Arrivée d'Ismène qui apprend à son père que ses fils Étéocle et Polynice se disputent le trône de Thèbes et que l'oracle exige son retour pour le salut de la ville. Œdipe maudit ses fils qui ont refusé de le voir. Il envoie Ismène faire une offrande aux Euménides et raconte ses malheurs au chœur.
vers 551-667 : Thésée, Œdipe, le coryphée	Arrivée de Thésée qui manifeste aussitôt sa générosité à Œdipe. Celui-ci lui fait don de son corps après sa mort : il sera un gage de force pour le pays où il sera enterré et il ne veut pas que ses fils puissent en bénéficier. Thésée lui promet que personne ne l'emmènera contre son gré.
PREMIER STASIMON vers 668-719 : le chœur	Le chœur chante les louanges de la terre de Colone.
DEUXIÈME ÉPISODE vers 720-886 : Antigone, Œdipe, le coryphée, le chœur, Créon	Arrivée de Créon, chargé de convaincre Œdipe de revenir à Thèbes. Refus violent d'Œdipe qui veut rester à Colone. Créon lui apprend qu'il a fait enlever Ismène et il entraîne Antigone de force. Le chœur s'interpose et appelle au secours.
vers 887-1043 : les mêmes, Thésée	Surgit Thésée qui « fait la leçon » à Créon et lui ordonne de rendre les filles d'Œdipe.
DEUXIÈME STASIMON vers 1044-1095 : le chœur	Encouragements du chœur à retrouver les jeunes filles.
TROISIÈME ÉPISODE vers 1096-1210 : Œdipe, Antigone, Thésée	Thésée ramène Antigone et Ismène à leur père et lui apprend qu'un étranger cherche à lui parler. Œdipe

	comprend qu'il s'agit de son fils Polynice et refuse de le voir, mais Antigone intercède en sa faveur.
TROISIÈME STASIMON vers 1211-1248 : le chœur	Le chœur plaint les malheureux qui sont accablés par les malédictions.
QUATRIÈME ÉPISODE vers 1249-1499 : Antigone, Œdipe, Polynice	Arrivée de Polynice qui supplie son père et lui explique sa situation : chassé de Thèbes par son frère cadet, il s'est réfugié à Argos où il a épousé la fille du roi, puis il a levé une expédition de sept chefs pour assiéger sa ville natale. Il est venu implorer le soutien d'Œdipe que l'oracle a annoncé comme indispensable à la victoire. Violentes imprécations d'Œdipe qui reproche à Polynice de l'avoir chassé de Thèbes et annonce la lutte fratricide de ses fils. Antigone tente de raisonner son frère. En vain.
vers 1500-1555 : les mêmes, Thésée	Arrive Thésée, attiré par les éclats de voix. Œdipe lui annonce qu'il a décidé de mourir dans un lieu caché qu'il ne révélera qu'à lui, afin qu'il devienne un sanctuaire sacré pour les Athéniens. Il quitte la scène pour s'y rendre.
QUATRIÈME STASIMON vers 1556-1578 : le chœur	Prières aux puissances souterraines.
EXODOS vers 1579-1779 : le messager, le chœur, Antigone, Ismène, Thésée	Un messager survient pour annoncer la mort d'Œdipe qui a disparu en « apothéose » merveilleuse sous les yeux de ses filles et de Thésée. Lamentations d'Antigone et d'Ismène. Thésée les assure de sa protection. Elles décident de rentrer à Thèbes pour tenter d'arrêter la dispute meurtrière de leurs frères.

ŒDIPE À COLONE [1]

Prologue

ŒDIPE

Fille d'un vieillard aveugle, Antigone, en quelle contrée, en quelle ville sommes-nous arrivés ? Qui accueillera aujourd'hui, avec une chétive aumône, Œdipe errant ? Il demande peu, il obtient moins encore, et ce peu lui suffit. Les souffrances, le temps, et enfin mon courage m'apprennent à m'en contenter. Mais, ma fille, si tu aperçois quelque siège dans un lieu profane ou dans quelque bois sacré, arrête ici mes pas, et informe-toi des lieux où nous sommes. Étrangers en ce pays, nous devons apprendre des habitants ce qu'il convient de faire.

ANTIGONE

Œdipe, père infortuné, je vois dans le lointain les tours qui protègent la ville ; le lieu où nous sommes est sacré, à ce que je suppose, car il est parsemé de lauriers, d'oliviers, de vignes abondantes, et, sous le feuillage, de nombreux rossignols font entendre leurs chants mélodieux. Repose tes membres sur cette roche grossière ; tu as fait un long chemin pour un vieillard.

ŒDIPE

Assieds-moi maintenant, et garde ton père aveugle.

ANTIGONE

Depuis le temps que je remplis ce devoir, je n'ai plus à l'apprendre.

ŒDIPE

Peux-tu me dire où nous sommes ?

1. Traduction de Nicolas-Louis Artaud (revue et corrigée par A. Collognat), in *Tragédies de Sophocle*, Charpentier libraire-éditeur, 1845.

ANTIGONE

Nous sommes près d'Athènes, mais je ne connais pas ce bourg ; tous les voyageurs nous ont dit qu'Athènes était devant nous. Mais veux-tu que j'aille m'informer quel est ce lieu ?

ŒDIPE

Va, ma fille, et demande surtout si on peut l'habiter.

ANTIGONE

Il est habité ; mais je n'ai pas besoin de m'éloigner, voici quelqu'un près de nous.

ŒDIPE

Vient-il de notre côté ? presse-t-il ses pas ?

ANTIGONE

Il est déjà devant nous ; demande-lui ce que tu veux, le voici.

[...]

Rencontre avec le chœur

LE CHŒUR

Le Destin ne punit point celui qui ne fait que rendre le mal pour le mal ; une tromperie, repoussée par d'autres tromperies, n'apporte que malheur à son auteur. Sors de ces lieux, fuis loin de cette terre, de peur que ta présence n'attire des malheurs sur notre cité.

ANTIGONE

Étrangers compatissants, si vous ne voulez pas entendre de ce vieillard le récit de ses crimes involontaires, au moins, nous vous en conjurons, ayez pitié d'une fille infortunée qui vous supplie et vous implore pour un père abandonné ; j'ose élever vers vous mes regards, comme si j'étais issue de votre sang, et demander votre compassion pour ce malheureux. Nous plaçons notre espoir en vous, comme en un dieu ; accordez-nous une faveur inespérée. Je t'implore par ce que tu as de plus cher, ton enfant, ta promesse, l'office que tu remplis en ces lieux, le dieu que tu adores. Tu ne trouveras pas un mortel qui puisse échapper à la main du dieu qui le pousse.

LE CHŒUR

Sois persuadée, fille d'Œdipe, que nous sommes également touchés de ton sort et du sien. Mais la crainte des dieux nous défend de changer de langage.

ŒDIPE

Que sert une gloire ou une honnête renommée démentie par les effets ? On dit qu'Athènes respecte singulièrement les dieux, que seule elle sauve l'étranger malheureux, et lui porte secours ; qu'est-ce que tout cela est devenu pour moi ? Après m'avoir attiré hors de l'asile que j'avais choisi, vous me chassez encore, par la seule crainte de mon nom ! Car ce n'est ni mon corps, ni mes actions que vous redoutez ; dans ces actions, objet de ton épouvante, j'ai été plutôt victime qu'acteur volontaire ; tu le comprendrais, si je pouvais te dire celles de mon père et de ma mère : voilà ce que je sais fort bien. Mais peut-on dire que je sois naturellement pervers, pour avoir rendu le mal qu'on m'a fait, moi qui, lors même que j'aurais agi avec intention, ne pourrais être appelé pervers ? Mais c'est à mon insu que j'ai fait ce que j'ai fait, tandis que ceux qui me perdaient en avaient bien conscience. Étrangers, je vous conjure donc, au nom des dieux, de ne pas violer la foi sur laquelle j'ai compté en quittant cet asile ; sous le prétexte d'honorer les dieux, n'allez point les outrager en effet ; songez qu'ils ont les yeux ouverts sur le juste et sur l'impie, et que jamais le mortel impie n'a échappé à sa peine. Fidèles à leur loi, ne ternissez pas la gloire d'Athènes par des actions coupables. Respectez vos promesses, sauvez le suppliant que vous avez accueilli ; n'insultez point ce front défiguré, car je viens à vous comme un homme pur et sacré, et j'apporte à cette cité de précieux avantages. Lorsque le chef qui vous commande, sera venu, je lui dirai tout ; jusque-là ne me manquez pas de foi.

LE CHŒUR

Vieillard, je ne puis entendre sans respect les pensées que tu nous as dévoilées ; tu as prononcé de graves paroles ; mais il suffit que les chefs de cette contrée en décident.

ŒDIPE

Où réside le roi de ce pays ?

LE CHŒUR

Il habite la ville de ses pères ; le même messager qui m'a envoyé vers toi est allé le prévenir.

ŒDIPE

Pensez-vous qu'il ait quelque égard pour un vieillard aveugle, et qu'il consente à venir ?

LE CHŒUR

Assurément, lorsqu'il aura entendu ton nom.

ŒDIPE

Et qui l'en instruira ?

LE CHŒUR

Le chemin est assez long ; mais une nouvelle, une fois répandue, se propage vite, et dès qu'il la saura, il se rendra ici. Ton nom vole maintenant de bouche en bouche, et, fût-il appesanti par le sommeil, dès qu'il l'entendra, il se hâtera de venir.

ŒDIPE

Qu'il vienne, pour le bonheur de sa patrie et pour le mien ! Quel homme sage n'est pas ami de lui-même ?

ANTIGONE

Ô Zeus ! que vois-je ? que dois-je penser, mon père ?

ŒDIPE

Qu'as-tu, chère Antigone ?

ANTIGONE

Je vois une femme qui s'avance vers nous, montée sur un coursier rapide ; sa tête est couverte d'une toque thessalienne, qui défend son visage contre les rayons du soleil. Eh quoi ! serait-ce elle ? me trompé-je ? est-ce une illusion ? je doute, j'hésite, je ne sais que dire. Mais non, ce ne peut être une autre. Elle me sourit des yeux à mesure qu'elle avance ; tout me prouve que ce ne peut être qu'Ismène.

ŒDIPE

Qu'as-tu dit, ma fille ?

ANTIGONE

C'est ta fille, c'est ma sœur que je vois ; tu vas l'entendre elle-même.

[...]

Conseils d'Antigone à son père...

ANTIGONE

Mon père, daigne écouter les conseils d'une enfant. Crois-moi, cède aux désirs de Thésée et à la volonté du dieu ; accorde-nous de voir notre frère. Ne crains rien, ce qui pourrait te déplaire dans ses paroles ne saurait contraindre tes résolutions : mais quel danger y a-t-il à l'entendre ? les actions les plus louables ne se révèlent que par la parole. Tu es son père ; eût-il commis envers toi les plus grands crimes, tu ne dois point le lui rendre. Laisse-le. Tu n'es point le seul qu'un juste courroux anime contre des enfants coupables ; cependant le charme d'une voix amie peut calmer leur ressentiment. Songe aux maux que tu as eu à souffrir de ton père et de ta mère : même guéris, ils te feraient voir les suites funestes d'une colère emportée. Tu en as une preuve terrible dans la privation de la vue à laquelle tu t'es réduit. Cède à nos instances. Il ne convient pas de laisser attendre longtemps ce qu'on demande avec justice, ni de refuser un service après en avoir reçu.

ŒDIPE

Mes enfants, le plaisir de votre victoire est pour moi mêlé d'amertume ; cependant soyez satisfaites. Seulement, Thésée, puisqu'il doit venir, ne souffre pas qu'on me fasse violence.

THÉSÉE

Vieillard, il suffit de l'avoir dit une fois. Je ne veux point vanter ma puissance ; mais sache que tu n'as rien à craindre, tant que les dieux prendront soin de mes jours.

[...]

ANTIGONE

Polynice, crois à mes conseils.

POLYNICE

Chère Antigone, parle, que me conseilles-tu ?

ANTIGONE

Hâte-toi de ramener ton armée dans Argos ; ne va pas perdre ta patrie et toi-même.

POLYNICE

Je ne le puis. Comment réunirais-je encore cette même armée, si une fois je donnais quelque signe de frayeur ?

ANTIGONE

Et qu'as-tu besoin de rallumer ta haine ? Que te servira de renverser ta patrie ?

POLYNICE

Il serait honteux de fuir, et d'être le jouet d'un frère plus jeune que moi.

ANTIGONE

Vois-tu comme elles courent à leur accomplissement, les prédictions de ton père, qui vous annonce à tous deux une mort mutuelle ?

POLYNICE

Tels sont ses vœux ; notre haine doit être irréconciliable.

ANTIGONE

Hélas ! et qui osera te suivre, après de si terribles prédictions ?

POLYNICE

Je ne les ferai pas connaître : un bon général dit ce qui est favorable, et cache ce qui est funeste.

ANTIGONE

Ta résolution est donc prise ?

POLYNICE

Ne me retiens pas ; je veux entrer dans cette route funeste, où les malédictions d'un père ont préparé ma ruine. Que Zeus vous soit propice, si vous me rendez un dernier service après ma mort ; car vous n'aurez plus à m'en rendre durant ma vie ! Laissez-moi, adieu ; vous ne me reverrez plus vivant.

ANTIGONE

Ah ! malheur à moi !

POLYNICE

Ne me pleurez pas.

ANTIGONE

Qui ne pleurerait pas, en voyant un frère courir à la mort ?

POLYNICE

S'il le faut, je mourrai.

ANTIGONE

Non, suis plutôt mes conseils.

POLYNICE

Ne me conseille pas la honte.

ANTIGONE

Que je suis malheureuse, si je te perds à jamais !

POLYNICE

C'est au sort qu'il appartient d'en décider. Je prie les dieux de vous préserver de tout mal ; car vous n'avez point mérité le malheur.

[...]

La mort d'Œdipe

ANTIGONE

Hélas ! hélas ! nous n'aurons plus seulement à pleurer le malheur d'être issues d'un sang criminel, devenu pour nous la source de nombreuses infortunes ; à la fin, nos maux ne pourront plus même se comprendre.

LE CHŒUR

Qu'avez-vous ?

ANTIGONE

Ô mes amis, on ne saurait l'imaginer.

LE CHŒUR

Il a donc fini ses jours ?...

ANTIGONE

D'une manière digne d'envie. Il n'a été victime ni d'Arès, ni des flots ; un nouveau genre de mort a terminé sa vie, la terre a ouvert pour lui ses ténébreuses retraites. Infortunées ! nos yeux se couvrent d'une nuit funeste. Comment pourrons-nous, dans notre course errante à travers les mers ou des contrées lointaines, trouver une chétive nourriture ?

ISMÈNE

Je ne sais. Ô mort ! que ne m'as-tu frappée avec mon père ! Pour moi, la vie désormais n'est plus supportable.

LE CHŒUR

Vertueuses sœurs, il faut recevoir sans murmure ce qui vient des dieux : ne vous livrez pas à l'emportement de la douleur. Votre sort n'est pas si déplorable.

ANTIGONE

On peut donc regretter même le malheur ! ce qui faisait ma joie était bien peu de chose, et cependant c'était ma joie, quand je le tenais entre mes bras. Ô mon père, mon tendre père, aujourd'hui plongé en d'éternelles ténèbres, malgré les infirmités de ton âge, tu étais et tu seras toujours l'objet de ma tendresse.

LE CHŒUR

Tout est donc terminé ?...

ANTIGONE

Conformément à ses vœux.

LE CHŒUR

Comment ?

ANTIGONE

Il est mort, comme il le voulait, sur cette terre étrangère ; il y repose à jamais, et y laisse des regrets inconsolables. Ô mon père ! toujours mes yeux verseront des larmes sur toi, et rien ne pourra calmer ma douleur. Hélas ! tu n'aurais point dû mourir sur une terre étrangère, où ta mort me laisse dans l'abandon.

ISMÈNE

Infortunée ! quel sera mon sort ? triste, délaissée... et toi ; sœur chérie... toutes deux, sans père, sans soutien !

LE CHŒUR

Du moins son dernier jour a été heureux ; cessez donc vos pleurs ; car nul mortel n'est exempt de maux.

ANTIGONE

Retournons sur nos pas.

ISMÈNE

Que ferons-nous ?

ANTIGONE

Je veux...

ISMÈNE

Quoi ?

ANTIGONE

Voir la demeure souterraine...

ISMÈNE

De qui ?

ANTIGONE

De mon père. Hélas !

ISMÈNE

Comment est-ce possible ? Ne le vois-tu pas ?

ANTIGONE

Que veux-tu dire ?

ISMÈNE

C'est que...

ANTIGONE

Quoi donc ?

ISMÈNE

Il est mort sans sépulture, loin de tous les regards.

ANTIGONE

Je veux y aller mourir.

ISMÈNE

Hélas, infortunée ! que deviendrai-je, seule et délaissée ?

LE CHŒUR

Calmez vos craintes.

ANTIGONE

Où fuir ?

LE CHŒUR

Vous avez déjà su échapper à l'outrage.

ANTIGONE

Je songe...

LE CHŒUR

Quelle pensée t'occupe ?

ANTIGONE

Je ne vois pas le moyen de retourner dans notre patrie.

LE CHŒUR

Ne te livre pas à de tels soucis : ton sort nous intéresse.

ANTIGONE

Vous me l'avez déjà prouvé ; vos bienfaits ont atteint et passé la mesure.

LE CHŒUR

Vous êtes plongées dans une mer d'infortunes.

ANTIGONE

Ah ! je le sais.

LE CHŒUR

Je l'avoue moi-même.

ANTIGONE

Hélas ! hélas ! où irons-nous ? Quel espoir me laissent encore les dieux ?

THÉSÉE

Jeunes filles, cessez vos larmes ; ceux sur qui s'étend la faveur de ce pays ne doivent plus connaître les regrets ; ce serait impie.

ANTIGONE

Fils d'Égée, nous tombons à tes genoux.

THÉSÉE

Que désirez-vous de moi ?

ANTIGONE

Nous voulons voir le tombeau de notre père.

THÉSÉE

Il n'est pas permis d'y porter ses pas.

ANTIGONE

Que dis-tu, puissant roi d'Athènes ?

THÉSÉE

Ô mes enfants ! il m'a fait promettre que je ne permettrais à aucun mortel d'en approcher, ni d'aller offrir des vœux au lieu où il repose ; il a dit que ma fidélité à ces promesses ferait à jamais la prospérité de cette contrée. Zeus lui-même a reçu mes serments.

ANTIGONE

Si telle est sa volonté, c'est à nous d'obéir. Fais-nous au moins conduire à Thèbes, pour empêcher nos frères de se donner la mort.

THÉSÉE

Je suis prêt à tout faire, et pour vous, et pour celui que cette terre a reçu dans son sein ; je ne me lasserai jamais.

LE CHŒUR

Calmez donc votre douleur, et ne vous livrez plus aux larmes. Car tels sont les arrêts suprêmes.

Fin de la pièce

2
ESCHYLE
LES SEPT CONTRE THÈBES
467 avant J.-C.

L'action se passe à Thèbes, sur l'acropole de la Cadmée.	**Personnages :** Étéocle, fils d'Œdipe, roi de Thèbes Le messager Antigone, fille d'Œdipe, sœur d'Étéocle Ismène, sœur d'Antigone Le héraut Le chœur, composé de femmes thébaines

Ne sont mentionnés ci-après que les personnages qui prennent la parole.

PROLOGUE vers 1-28 : Étéocle	Le roi de Thèbes exhorte son peuple à combattre pour le salut de leur ville, assiégée depuis longtemps.
vers 29-102 : le messager, Étéocle	Le messager annonce le plan des sept chefs ennemis qui vont mener l'assaut contre les sept portes de la ville.
PARODOS (entrée du chœur) vers 78-181: le chœur	Le chœur prie les dieux pour invoquer leur protection.
PREMIER ÉPISODE vers 182-286 : Étéocle, le chœur, le coryphée	Étéocle reproche au chœur apeuré ses cris de lamentation et invective « l'engeance féminine ».

PREMIER STASIMON vers 287-368 : le chœur	Déploration lyrique des malheurs de la guerre.
DEUXIÈME ÉPISODE vers 369-719 : le coryphée, le messager, le chœur	Le messager énumère et décrit un par un les sept chefs ennemis ; Étéocle lui répond chaque fois en faisant l'éloge des guerriers qu'il va leur opposer. Le chœur commente en chantant. Le dernier chef est Polynice : exilé par son frère, il mène l'attaque pour s'emparer du trône de Thèbes. Prêt à l'affronter, Étéocle exalte la lutte fratricide.
DEUXIÈME STASIMON vers 720-791 : le chœur	Lamentations sur les malheurs des Labdacides.
TROISIÈME ÉPISODE vers 792-819 : le messager, le coryphée	Le messager annonce la mort des deux frères.
TROISIÈME STASIMON vers 820-872 : le coryphée, le chœur	Chants alternés de lamentations sur le destin d'Étéocle et de Polynice. Antigone et Ismène sont annoncées.
EXODOS ⊶ vers 873-1004 : le chœur réparti par moitié (demi-chœur), Antigone, Ismène	Chants alternés de lamentations sur les deux cadavres que l'on vient d'apporter.
vers 1005-1078 : le héraut, ⊶ Antigone, le chœur (cette scène finale n'est sans doute pas d'Eschyle : on pense qu'elle a été ajoutée a posteriori, sous l'influence du succès de l'*Antigone* de Sophocle)	Le héraut annonce la décision de laisser le corps du « traître » Polynice sans sépulture. Antigone affirme qu'elle est prête à braver tous les risques pour enterrer son frère décemment. Altercation entre le héraut et Antigone. Ultimes lamentations du chœur partagé entre les deux frères.

LES SEPT CONTRE THÈBES [1]

[...]

Lamentations d'Antigone et d'Ismène sur les corps de leurs frères

PREMIER DEMI-CHŒUR

Percés d'un fer meurtrier, ils vont avoir leur partage ; oui, une place chacun au tombeau de leurs pères !

DEUXIÈME DEMI-CHŒUR

Le cri déchirant de la douleur fait retentir les échos du palais : lamentations sur eux, sur moi-même, sur mes propres maux ! trait qui perce mon âme ! Plus de joie pour moi : je pleure, et mon cœur ne dément point mes yeux ! et mon cœur se consume, flétri sous le poids des peines. Infortunés ! osons le dire, tous les malheurs de Thèbes sont votre ouvrage ; et c'est par vous que les bataillons des envahisseurs étrangers ont presque tous péri dans le combat.

PREMIER DEMI-CHŒUR

Malheureuse celle qui les a mis au monde ; malheureuse entre toutes les femmes qui ont été appelées du nom de mère ! Épouse de son propre fils, voilà ceux qu'elle a enfantés ! ils ont péri mutuellement, immolés par des mains fraternelles.

ISMÈNE

Oui, les deux frères, crime affreux ! Ils se sont frappés en ennemis ; une lutte furieuse a terminé leurs débats. Leur haine a cessé ; sur la terre inondée de leur sang, leurs vies se sont confondues. Ah ! c'est bien aujourd'hui qu'ils sont du même sang.

1. Traduction d'Alexis Pierron (revue et corrigée par A. Collognat), in *Théâtre d'Eschyle*, Charpentier et Cie éditeurs, 1869.

LE CHŒUR

C'est un cruel pacificateur des querelles, cet hôte venu d'au-delà des mers, ce fer aiguisé qui est sorti de la fournaise ; c'est un cruel, un fatal arbitre du partage des richesses, cet Arès qui vient d'accomplir les imprécations de leur père !

ANTIGONE

Infortunés ! des maux infligés par les dieux le sort a fait à chacun une portion égale : sous leurs corps, pour domaine, la terre sans fond !

ISMÈNE

Ô maison féconde en calamités ! Tout est fini ; les Érinyes [1] ont fait retentir le cri perçant de la victoire : la race entière de Laïos a disparu devant elles. Le trophée d'Até [1] est dressé à la porte où se sont heurtés les deux frères : le Destin les a vaincus tous deux, le Destin est content.

ANTIGONE, *s'adressant au corps de Polynice.*

Frappé du coup mortel, tu as frappé à ton tour.

ISMÈNE, *s'adressant au corps d'Étéocle.*

Tu as donné la mort, et tu as reçu la mort.

ANTIGONE

Tu as tué par l'épée.

ISMÈNE

Tu as péri par l'épée.

ANTIGONE

Odieuse attaque !

ISMÈNE

Défaite odieuse !

ANTIGONE

Coulez, mes pleurs.

1. Voir le « Petit dictionnaire grec pour lire le mythe et la tragédie », p. 185.

ISMÈNE

Éclatez, mes plaintes.

ANTIGONE

Le vainqueur ne se relèvera plus. Hélas ! hélas ! la douleur trouble mon âme.

ISMÈNE

Mon cœur sanglote dans ma poitrine.

ANTIGONE

Hélas ! hélas ! frère à jamais déplorable !

ISMÈNE

Ô frère, entre tous infortuné !

ANTIGONE

Ton frère t'a donné la mort.

ISMÈNE

Tu as donné la mort à ton frère.

ANTIGONE

Double malheur affreux à dire !

ISMÈNE

Double malheur affreux à voir !

ANTIGONE

Et pour nous doublement déplorable !

ISMÈNE

Tristes sœurs, voilà nos frères !

LE CHŒUR

Ô Moire [1] terrible, dispensatrice des douleurs ! ombre sacrée, ombre ténébreuse d'Œdipe, es-tu donc l'inévitable Érinys des vengeances ?

[...]

1. Voir le « Petit dictionnaire grec pour lire le mythe et la tragédie », p. 185.

ISMÈNE

Hélas ! hélas ! où leur dresser un tombeau ?

ANTIGONE

À l'endroit, hélas ! qui leur fera le plus d'honneur.

ISMÈNE

Hélas ! hélas ! qu'on les couche, les infortunés, auprès de leur père.

UN HÉRAUT

Apprenez ce qu'a ordonné, ce qu'ordonne le sénat de la ville de Cadmos. Celui-là, Étéocle, aimait sa patrie : il sera enseveli avec honneur. C'est en repoussant les ennemis qu'il a péri sur nos remparts. Les dieux paternels l'ont trouvé pur et sans reproche ; il est mort là où la mort est belle pour un jeune héros. – Voilà ce que j'ai à vous dire au sujet d'Étéocle. – Mais son frère Polynice, mais ce cadavre, il sera jeté à la voirie, il deviendra la proie des chiens ; car il allait renverser la ville de Cadmos, si un dieu n'eût arrêté l'effort de sa lance. Sa mort même n'expie pas le sacrilège qu'il a commis envers les dieux paternels. Quel mépris pour eux ! jeter sur sa patrie une armée d'envahisseurs, en essayer la conquête ! Donc, livré aux oiseaux du ciel, dans leur sein Polynice trouvera une sépulture digne de lui. Aucune main ne versera des libations sur son tombeau ; nul honneur pour lui, nulles larmes, nul gémissement funèbre : défense à ses proches de mener le deuil des funérailles. Telle est la volonté des magistrats de la ville de Cadmos.

ANTIGONE

Et moi pourtant, je le déclare au sénat des Cadméens : si personne ne veut m'aider à l'ensevelir, je l'ensevelirai moi seule ; j'en courrai le danger. Pour donner la sépulture à un frère, je ne rougis point de désobéir aux ordres de la cité. Elles ont une voix puissante, ces entrailles où nous avons pris la vie, enfants d'une mère infortunée, d'un père malheureux. Partage volontairement, ô mon âme ! son malheur involontaire ; vivante, gardons pour le mort des sentiments fraternels. Non, des loups au ventre affamé ne se repaîtront point de ses chairs ; non, n'en croyez rien ! Moi-même, faible femme, je creuserai la fosse, j'élèverai le tombeau ; moi-même, dans les plis de ma robe de lin, je porterai la terre, j'en couvrirai le cadavre. Que nul ne s'oppose à mon dessein : la ruse, l'activité seconderont au besoin mon audace.

LE HÉRAUT

Écoute, ne viole pas la défense portée par les Thébains.

ANTIGONE

Écoute, ne me donne pas d'avis inutiles.

LE HÉRAUT

Il est intraitable, un peuple qui vient d'échapper au danger.

ANTIGONE

Intraitable, soit ; mais mon frère ne restera point sans sépulture.

LE HÉRAUT

L'ennemi de Thèbes, tu veux l'honorer d'un tombeau !

ANTIGONE

Les dieux n'ont point encore jugé sa conduite.

LE HÉRAUT

Non, ils ne l'avaient pas jugée, avant le péril où il a jeté son pays.

ANTIGONE

Il n'a fait que rendre mal pour mal.

LE HÉRAUT

Oui ; mais c'était venger sur tous le crime d'un seul.

ANTIGONE

La déesse Discorde a toujours le dernier mot. Abrégeons : j'ensevelirai mon frère.

LE HÉRAUT

Consulte-toi ; pour moi, je le défends.

LE CHŒUR

Hélas ! hélas ! ô Érinyes menaçantes ! fléaux destructeurs des familles ! c'est vous qui avez détruit, jusque dans ses fondements, la race d'Œdipe. Que devenir ? que faire ? à quoi me résoudre ? (*À Polynice.*) Comment te refuser des pleurs ? comment ne point t'accompagner jusqu'à la tombe ? Les menaces des Thébains sont terribles ; je tremble, je frémis. (*À Étéocle.*) Tu seras donc honoré du deuil de tout un peuple ; et lui, l'infortuné, nul ne gémirait sur son corps : il n'aurait pour le pleurer que les larmes de sa sœur ! Comment obéir à un tel ordre ? (*Le chœur se sépare en deux moitiés.*)

PREMIER DEMI-CHŒUR

Que Thèbes châtie, qu'elle épargne ceux qui pleureront Polynice, nous suivrons Antigone : avec elle nous conduirons les funérailles. Polynice est né Thébain ; les Thébains sont frappés dans son malheur ; et plus d'une fois le peuple s'est contredit dans ses décrets.

DEUXIÈME DEMI-CHŒUR

Nous, accompagnons Étéocle : Thèbes le veut, la justice l'ordonne. Après les immortels, après le puissant Zeus, c'est lui surtout qui a préservé du ravage la ville de Cadmos ; c'est lui qui a repoussé le flot d'étrangers prêt à l'engloutir.

Fin de la pièce

3
EURIPIDE
LES PHÉNICIENNES
entre 410 et 407 avant J.-C.

L'action se passe devant le palais royal de Thèbes.	**Personnages :** Jocaste, épouse d'Œdipe Un pédagogue (esclave chargé de l'éducation des enfants) Antigone, fille d'Œdipe et de Jocaste Étéocle, frère d'Antigone Polynice, frère d'Antigone Créon, frère de Jocaste Ménœcée, fils de Créon Le devin aveugle Tirésias Un écuyer d'Étéocle Un messager Œdipe Le chœur, composé de jeunes Phéniciennes

Ne sont mentionnés ci-après que les personnages qui prennent la parole.

PROLOGUE vers 1-87 : monologue de Jocaste	Jocaste, vêtue de noir, cheveux rasés, se lamente sur le sort des Labdacides. Résumé de la malédiction familiale (Œdipe qui s'est crevé les yeux a été enfermé dans le palais par ses fils qu'il a maudits. Étéocle et Polynice sont en pleine guerre pour le trône ; Jocaste les a décidés à accepter une trêve).

vers 88-201 : le pédagogue, Antigone	Le pédagogue et Antigone passent en revue les sept chefs qui assiègent Thèbes, dont Polynice que son frère a exilé pour ne pas partager le pouvoir avec lui.
PARODOS (entrée du chœur) vers 202-260 : le chœur	Chants du chœur des jeunes filles venues de Tyr en Phénicie (patrie de Cadmos, le fondateur de Thèbes).
PREMIER ÉPISODE vers 261-445 : Polynice, le coryphée, le chœur, Jocaste	Polynice arrive au palais où il rencontre sa mère : il raconte son exil et essaie de justifier sa conduite.
vers 446-637 : les mêmes, Étéocle	Arrive Étéocle : les deux frères s'affrontent violemment, Jocaste essaie en vain de les réconcilier.
PREMIER STASIMON vers 638-689 : le chœur	Rappel des origines de la famille royale thébaine.
DEUXIÈME ÉPISODE vers 690-783 : Étéocle, Créon	Étéocle fait venir son oncle Créon pour lui annoncer qu'il va tenter une « sortie » contre les assiégeants. Créon lui conseille de disposer sept chefs à l'attaque.
DEUXIÈME STASIMON vers 784-833 : le chœur	Lamentations du chœur sur la Discorde.
TROISIÈME ÉPISODE vers 834-1018 : Tirésias, Créon, Ménœcée	Créon demande à Tirésias ce qu'il faut faire pour sauver Thèbes ; le devin lui annonce qu'il doit sacrifier son propre fils Ménœcée au dieu Arès. Horrifié, Créon fait fuir son fils. Cependant Ménœcée est décidé à offrir sa vie pour le salut de la ville.
TROISIÈME STASIMON vers 1019-1066 : le chœur	Rappel des fléaux qui ont frappé Thèbes.
QUATRIÈME ÉPISODE vers 1067-1242 : l'écuyer, Jocaste, le coryphée	L'écuyer vient annoncer à Jocaste le suicide de Ménœcée qui s'est sacrifié pour sa patrie, puis il

	raconte longuement l'affrontement des deux armées. Il lui apprend que ses deux fils ont décidé de se battre en duel.
vers 1243-1283 : Antigone, Jocaste ➜	Jocaste appelle Antigone pour l'aider à arrêter la folie meurtrière de ses frères : elles partent s'interposer entre eux au moment du duel.
QUATRIÈME STASIMON vers 1284-1306 : le chœur	Chants de compassion pour la mère et ses fils.
EXODOS vers 1307-1478 : le coryphée, Créon, le messager	Créon pleure sur le cadavre de son fils. Un messager annonce la mort d'Étéocle et de Polynice ; il raconte le dénouement tragique : Jocaste s'est égorgée sur les corps de ses fils.
vers 1479-1766 : le coryphée, Antigone, Œdipe, Créon ➜	Douleur d'Antigone. Elle fait sortir son père pour lui raconter les malheurs qui les frappent. Succédant à Étéocle sur le trône, Créon ordonne l'exil d'Œdipe et interdit d'enterrer Polynice sous peine de mort. Antigone se révolte contre cette sentence. Elle décide de partir en exil avec son père pour guider ses pas et annonce qu'elle ira ensevelir Polynice pendant la nuit. Œdipe se résigne à la honte d'un exil misérable.

LES PHÉNICIENNES [1]

Prologue

JOCASTE

Ô Soleil, qui, monté sur ton char doré, te frayes une route à travers les astres du ciel et lances la flamme sur les pas de tes rapides coursiers ! de quels sinistres rayons tu éclairas les Thébains, le jour où Cadmos mit le pied sur cette terre, après avoir quitté les rivages de la Phénicie ! Devenu l'époux d'Harmonie, fille de Cypris, il engendra Polydore, lequel fut, dit-on, père de Labdacos qui donna le jour à Laïos. Moi, je suis fille de Ménœcée, et j'ai pour frère Créon, né de la même mère que moi. On m'appelle Jocaste, du nom que mon père me donna. Laïos devint mon époux ; et, comme notre union était demeurée longtemps stérile, il alla consulter Apollon et lui demanda en même temps de le rendre père d'une postérité mâle. Le dieu lui répondit : « Ô roi des Thébains, habiles cavaliers, crains de procréer des enfants contre le gré des dieux. Car, si tu engendres un fils, ce fils te tuera, et toute ta maison s'éteindra dans le sang. » Mais lui, cédant à l'attrait du plaisir et aux suggestions de l'ivresse, me rendit mère ; puis, à peine eus-je conçu, qu'il reconnut sa faute, et, se rappelant l'oracle du dieu, il remit l'enfant qui venait de naître à des bergers, pour l'exposer dans la prairie d'Héra, sur la cime du Cithéron, après lui avoir traversé le milieu des talons avec des pointes de fer, d'où lui vient le nom d'Œdipe [2] que la Grèce lui donna. Des esclaves qui fai-

1. Traduction d'Émile Pessonneaux (revue, corrigée et annotée par A. Collognat), in *Théâtre d'Euripide*, tome II, Charpentier et Cie éditeurs, 1898.

2. Œdipe signifie littéralement « Pieds enflés » (cf. le terme médical d'« œdème »).

saient paître les chevaux de Polybe recueillirent l'enfant, le portèrent au palais et le remirent aux mains de la reine. Celle-ci nourrit de son lait le fruit de mes entrailles et fit croire à son époux qu'elle en était la mère. Mon fils avait atteint l'âge d'homme et voyait déjà un léger duvet ombrager ses joues, lorsqu'il soupçonna la vérité ou l'apprit de la bouche d'autrui. Désireux de connaître les auteurs de ses jours, il partit pour le temple d'Apollon. Laïos, mon époux, en fit autant, dans le but de s'informer si l'enfant qu'il avait exposé vivait encore. Tous deux se rencontrèrent en un carrefour de la Phocide. Alors, le cocher de Laïos interpelle Œdipe : « Étranger, retire-toi, et cède le passage à tes rois. » Mais lui poursuit sa marche en silence et avec dédain. Cependant les chevaux lui heurtent les talons avec leurs sabots, et les rougissent de sang. Là-dessus... mais pourquoi raconter des malheurs qui me sont étrangers ? Le fils tue le père, s'empare de son char et le donne à Polybe. Alors que le Sphinx dépeuplait la ville et que mon époux n'était plus, Créon, mon frère, fait proclamer par le héraut qu'il donnerait ma main à celui qui aurait deviné l'énigme de la vierge artificieuse [1]. Œdipe, mon fils, se trouve expliquer l'énigme du Sphinx, devient, par là, roi de ce pays et reçoit en récompense le sceptre de Thèbes. Le malheureux épouse, sans le savoir, sa mère, qui, elle aussi, reçoit à son insu son propre fils dans son lit. De cette union naissent deux fils, Étéocle et l'illustre Polynice, et deux filles : la plus jeune reçut de son père le nom d'Ismène, et j'appelai l'aînée Antigone. Lorsqu'il eut découvert qu'il avait épousé sa mère, Œdipe, accablé par l'excès de ses maux, éteint le feu de ses yeux en se déchirant la pupille avec des agrafes d'or. Lorsque mes fils eurent de la barbe au menton, ils tinrent leur père sous le verrou, pour effacer le souvenir d'événements que nul artifice ne saurait faire oublier. Il vit, enfermé dans le palais ; mais, aigri par ses malheurs, il lance contre ses fils les imprécations les plus impies, souhaitant qu'ils se partagent son héritage à la pointe de

1. Le Sphinx est un monstre femelle ; voir l'index p. 163.

l'épée. Pour eux, craignant que les dieux n'exauçassent ce vœu, s'ils demeuraient ensemble, ils sont convenus que Polynice, étant le plus jeune, s'exilerait volontairement de cette terre, et qu'Étéocle y resterait pour exercer le pouvoir royal, alternativement avec son frère, durant une année. Mais une fois assis au gouvernail, il refusa de céder le trône, et interdit à Polynice le retour dans sa patrie. Celui-ci est allé à Argos, et, devenu le gendre d'Adraste, il a rassemblé une nombreuse armée d'Argiens qu'il a conduite contre nous. Arrivé sous les murs de la ville aux sept portes, il réclame le sceptre de son père et sa part de royauté. Pour moi, désireuse de faire cesser leurs querelles, j'ai décidé mon fils à venir sur la foi des traités s'entretenir avec son frère, avant d'engager la lutte. Mon messager annonce son arrivée prochaine. Ô Zeus, qui habites les profondeurs radieuses du ciel, sauve-nous et réconcilie nos enfants. Si tu as la sagesse en partage, tu ne dois pas permettre que le même mortel soit toujours condamné au malheur. *(Elle sort.)*

LE PÉDAGOGUE

Antigone, illustre rejeton d'une maison malheureuse, puisque ta mère, cédant à tes prières, t'a permis de quitter ta chambre virginale et de monter sur la terrasse qui domine le palais, pour regarder l'armée des Argiens, laisse-moi éclairer d'abord notre marche, de peur qu'un citoyen n'apparaisse sur le chemin que nous suivons : ce serait nous exposer, moi comme esclave, et toi, comme princesse, à un blâme humiliant. Quand j'aurai tout examiné, je te dirai ce que j'ai vu et ce que j'ai appris des Argiens, lorsque j'ai porté à ton frère la convention, soit en allant de Thèbes au camp, soit en revenant du camp en ces lieux. Mais je ne vois personne approcher du palais : gravis donc cet antique escalier de cèdre ; promène tes regards sur la plaine, et le cours de l'Isménos, et la fontaine de Dircé, et vois combien l'armée ennemie est nombreuse.

ANTIGONE

Tends-moi la main, vieillard, tends-la à la jeune Antigone du haut des degrés, et aide-moi à monter.

LE PÉDAGOGUE

Tiens, prends ma main, jeune fille. Tu es montée à propos. Voilà précisément l'armée argienne qui s'ébranle, et les troupes qui se forment en corps séparés.

ANTIGONE

Ô vénérable fille de Latone, Hécate ! Toute la plaine resplendit de l'éclat de l'airain.

LE PÉDAGOGUE

C'est que Polynice n'est pas venu sur cette terre en misérable équipage : des cavaliers nombreux, des milliers de fantassins s'agitent autour de lui.

ANTIGONE

Les portes sont-elles assujetties par des verrous ? Des leviers d'airain sont-ils adaptés à ces murs de pierre bâtis par Amphion ?

LE PÉDAGOGUE

Sois sans crainte : on est en sûreté dans l'intérieur de la ville. Mais regarde ce premier guerrier : veux-tu savoir qui il est ?

ANTIGONE

Quel est ce guerrier au panache blanc, qui marche devant l'armée, portant légèrement autour de son bras un bouclier tout d'airain ?

LE PÉDAGOGUE

C'est un des chefs, princesse.

ANTIGONE

Quel est-il ? où est-il né ? Dis-moi, vieillard, comment il se nomme ?

LE PÉDAGOGUE

On le dit originaire de Mycènes ; il habite aux environs du marais de Lerne : c'est le roi Hippomédon [1].

1. Tous les noms qui suivent désignent les sept chefs de l'expédition contre Thèbes (voir *Les Sept contre Thèbes* d'Eschyle, p. 17).

ANTIGONE

Oh ! qu'il est fier ! qu'il est terrible à voir ! le ciel étoilé est peint sur son bouclier ; on dirait un géant, fils de la terre, il ne ressemble pas à la race des mortels.

LE PÉDAGOGUE

Ne vois-tu pas aussi ce chef qui passe les eaux de Dircé ?

ANTIGONE

Son armure, à lui, est toute différente. Quel est ce guerrier ?

LE PÉDAGOGUE

C'est le fils d'Œnée, Tydée : il porte sur sa poitrine l'image d'Arès.

ANTIGONE

N'est-ce pas lui, ô vieillard, qui a épousé la belle-sœur de Polynice ? Comme ses armes, moitié grecques, moitié barbares, offrent un bizarre assemblage !

LE PÉDAGOGUE

Tous les Étoliens, ma fille, portent le bouclier long, et leur javeline ne manque jamais le but.

ANTIGONE

D'ou vient, ô vieillard, que tu es si bien instruit ?

LE PÉDAGOGUE

J'ai vu et remarqué les emblèmes de boucliers, quand j'ai porté la convention à ton frère ; et à leurs armures je reconnais les guerriers.

ANTIGONE

Quel est celui qui passe autour du tombeau de Zéthos, les cheveux bouclés, le regard farouche, avec l'air d'un jeune homme ? C'est un chef, à voir la foule d'hommes armés qui suit ses pas et l'accompagne.

LE PÉDAGOGUE

C'est Parthénopée, le fils d'Atalante.

ANTIGONE

Ah ! puisse Artémis, qui parcourt les montagnes en compagnie de sa mère, le faire tomber sous ses flèches, lui qui est venu pour ruiner ma patrie !

LE PÉDAGOGUE

Que le ciel t'exauce, ma fille ! mais ils ont le droit pour eux en marchant contre Thèbes ; et je crains que les dieux n'aient égard à la justice de leur cause.

ANTIGONE

Où donc est celui qu'une même mère a fait naître comme moi sous de funestes auspices ? Cher vieillard, dis-moi où est Polynice ?

LE PÉDAGOGUE

Il se tient non loin du tombeau des sept filles de Niobé, auprès d'Adraste. Le vois-tu ?

ANTIGONE

Je ne le vois pas distinctement ; je vois comme l'image de sa personne, une taille semblable à la sienne. Que ne puis-je, tel qu'un nuage rapide, voler à travers les airs jusqu'à mon frère chéri, et serrer dans mes bras, après une si longue absence, ce malheureux exilé ! Qu'il est beau entre tous sous ses armes d'or, ô vieillard, brillant de l'éclat des feux naissants du soleil !

LE PÉDAGOGUE

Il viendra sur la foi des traités dans ce palais pour te remplir de joie.

ANTIGONE

Dis-moi encore, ô vieillard, quel est celui-ci, monté sur un char blanc, dont il tient les rênes ?

LE PÉDAGOGUE

C'est le devin Amphiaraos, ô princesse : avec lui sont les victimes dont la terre avide boira le sang.

ANTIGONE

Ô fille du Soleil à la brillante ceinture, Lune, dont le disque est d'or ! comme il aiguillonne doucement ses coursiers et dirige son char avec prudence ! Mais où est Capanée, qui profère contre cette ville de terribles menaces ?

LE PÉDAGOGUE

Il observe les abords des tours et mesure du haut en bas les murailles.

ANTIGONE

Ô Némésis ! ô tonnerres retentissants de Zeus ! éclat fumant de la foudre ! à vous de réprimer cette jactance trop grande pour un mortel. Le voilà, celui qui se vante de réduire en esclavage les femmes thébaines que sa lance aura conquises et de les livrer à Mycènes et aux eaux de Lerne, à cette source d'Amymone que Poséidon fit jaillir d'un coup de son trident. Ah ! que jamais un tel esclavage ne pèse sur moi ! je t'en supplie, ô Artémis, aux boucles dorées, noble fille de Zeus.

LE PÉDAGOGUE

Rentre dans le palais, mon enfant, et renferme-toi dans tes appartements de jeune fille, puisque tu as satisfait ta curiosité et assisté au spectacle que tu désirais voir. Voici qu'une troupe de femmes, en présence du trouble qui règne dans la ville, se dirige vers la demeure de nos rois. Ton sexe est enclin naturellement au blâme, et renchérit volontiers sur les moindres prétextes fournis à sa médisance : c'est un plaisir pour les femmes de tenir les unes sur les autres de malins propos. *(Ils rentrent dans le palais.)*

[...]

Antigone sur le champ de bataille

JOCASTE

Antigone, ma fille, sors et viens devant le palais : ce n'est pas dans les danses, dans les travaux des jeunes filles, que les dieux aujourd'hui te tracent ton chemin. Deux braves guerriers, tes frères, cherchent la mort : il faut te joindre à ta mère pour les empêcher de périr de la main l'un de l'autre.

ANTIGONE

Que signifient, ô ma mère, ces cris effrayants que tu pousses encore une fois devant ce palais ?

JOCASTE

Ma fille, tes frères vont disparaître du nombre des vivants.

ANTIGONE

Que dis-tu ?

JOCASTE

Ils s'apprêtent à combattre en combat singulier.

ANTIGONE

Grands dieux ! que m'annonces-tu, ma mère ?

JOCASTE

Une triste nouvelle, mais suis-moi.

ANTIGONE

Où irai-je, en quittant ma chambre virginale ?

JOCASTE

Au milieu de l'armée.

ANTIGONE

J'ai honte de paraître devant la foule.

JOCASTE

Il s'agit bien de honte en l'état où tu es !

ANTIGONE

Que ferai-je alors ?

JOCASTE

Tu réconcilieras tes frères.

ANTIGONE

Mais comment ?

JOCASTE

En tombant avec moi à leurs genoux.

ANTIGONE

Conduis-moi au milieu des deux armées : il ne faut pas perdre de temps.

JOCASTE

Hâte-toi, ma fille, hâte-toi : car si je rejoins mes fils avant le combat, je consens à vivre ; s'ils sont morts, je partagerai leur sort et mourrai avec eux.

[...]

Douleur d'Antigone

ANTIGONE

Sans cacher mes joues délicates sous les boucles de mes cheveux, sans souci de la rougeur virginale qui colore mon visage, je m'élance comme une bacchante des morts, rejetant les liens qui retenaient ma chevelure, laissant flotter cette robe précieuse aux reflets d'or, afin de donner le signal des lamentations funèbres. Hélas ! hélas ! Ô Polynice ! tu portais un nom de mauvais augure [1]. Ô Thèbes ! ta querelle, mais que dis-je ? le meurtre s'ajoutant au meurtre a perdu la maison d'Œdipe noyée dans un sang funeste, un sang déplorable. Quels accents, quelles lamentations ma voix inspirée par les Muses joindra-t-elle à mes larmes, à mes larmes, ô maison ! ô maison ! J'apporte les corps inanimés de trois êtres unis par le sang, une mère et ses fils, triomphe d'Érinys, qui a perdu toute la maison d'Œdipe, du jour où la sagacité de ce prince a pénétré le sens obscur de l'énigme du Sphinx, ce chantre sauvage, dont il causa la mort, hélas ! Quel Grec, ô mon père, quel barbare, quel homme illustre par sa naissance et issu d'un sang mortel, fut en proie, comme toi, à l'infortune et aux douleurs cruelles que je déplore ? Quel oiseau, perché sur les plus hautes branches d'un chêne ou d'un sapin, mêlera sa voix plaintive aux gémissements que m'arrache la perte d'une mère, aux cris douloureux que je pousse à la vue de ces infortunés, condam-

1. Jeu de mots sur le nom grec « Polynice » pris au sens de « nombreuses disputes ».

née désormais à traîner dans les larmes une vie solitaire ? Qui dois-je pleurer ? À qui offrirai-je d'abord les prémices de ma chevelure lacérée ? Les déposerai-je sur le sein de la mère qui nous allaita ou sur les plaies funestes de mes deux frères ? Hélas ! hélas ! quitte ta demeure, ô mon père, avec tes yeux privés de la lumière ; viens nous montrer, Œdipe, ta vieillesse infortunée, toi qui, après avoir répandu sur ta vue d'épaisses ténèbres, traînes une vie languissante. M'entends-tu, soit que tu erres dans le palais, soit que tu réchauffes sur ta couche tes membres glacés par la vieillesse.

ŒDIPE

Ô ma fille, pourquoi me forces-tu à venir d'un pas tremblant chercher la lumière qui fuit mes yeux, à quitter le lit où je repose, la demeure ténébreuse où je me consume et blanchis dans les larmes, moi qui ne suis plus qu'un vain fantôme, une ombre échappée des enfers, un songe fugitif ?

ANTIGONE

Apprends, mon père, une sinistre nouvelle : tes fils ne voient plus la lumière, non plus que ton épouse, dont les soins empressés guidaient tes pas aveugles, ô mon père. Hélas !

ŒDIPE

Ciel ! que d'infortunes m'accablent ! Oui, j'ai bien le droit de gémir et de crier. Comment, par quel destin ces trois êtres chéris ont-ils quitté la lumière ? Dis-le-moi, ma fille.

ANTIGONE

Je le dis avec douleur, et non comme un reproche ou comme un outrage : ton mauvais Génie, armé du glaive, du feu et des cruels combats, a fondu sur tes fils, ô mon père.

ŒDIPE

Hélas !

ANTIGONE

Pourquoi ces gémissements ?

ŒDIPE

Ô mes fils !

ANTIGONE

Tu serais plongé dans la douleur, si, jouissant des rayons que répand le char du Soleil, tu parcourais des yeux ces corps privés de vie.

ŒDIPE

Le malheur de mes enfants est manifeste ; mais dis-moi à quel destin a succombé mon épouse infortunée ?

ANTIGONE

Ne craignant pas d'exposer à tous les yeux sa douleur et ses larmes, elle découvrait son sein et le présentait en suppliante à ses fils. Arrivée à la porte d'Électre, dans le pré couvert de lotus, elle les trouva, la lance au poing, qui luttaient comme deux lions nourris dans le même antre, et tombaient mortellement blessés, froides et sanglantes victimes qui sont le partage d'Hadès et qu'Arès lui fournit. Alors arrachant le glaive d'airain, enfoncé dans leur corps, et le plongeant dans le sien, elle tomba auprès de ses fils, expirant de douleur de les avoir perdus. Ô mon père ! tous les maux à la fois ont été accumulés en ce jour sur notre maison par le dieu qui a conduit ces événements.

LE CHŒUR

Ce jour a été pour la maison d'Œdipe fertile en calamités : puisse désormais son existence être plus heureuse !

CRÉON

Faites trêve à vos lamentations ; il est temps de songer aux funérailles. Œdipe, écoute-moi. Ton fils Étéocle m'a transmis le gouvernement de ce pays : c'est la dot qu'il a donnée à Hémon en lui accordant la main d'Antigone. Je ne te laisserai donc plus habiter cette terre ; car Tirésias a dit expressément que, tant que tu l'habiterais, jamais

Thèbes ne serait prospère. Sors donc de ces lieux : ce n'est ni pour t'outrager, ni par haine pour toi, que je tiens ce langage ; mais je crains qu'il n'arrive malheur à ce pays à cause du mauvais Génie qui te poursuit.

ŒDIPE

Ô Destin ! tu m'as donc fait naître dès le principe pour l'infortune et la douleur, plus qu'aucun des mortels ! Avant même que je fusse sorti du sein maternel et visse la lumière, Apollon annonça à Laïos que je serais le meurtrier de mon père : ô malheureux que je suis ! À peine étais-je né, que mon père, l'auteur même de mes jours, me dévoue à la mort, dans la pensée que je suis son ennemi : car le destin voulait qu'il pérît de ma main ; et, tandis que mes lèvres cherchent le sein maternel, il m'expose pour être la proie des bêtes sauvages. Ah ! plût au ciel que le Cithéron, où j'échappai à la mort, eût été englouti dans les profonds abîmes du Tartare ! Car si la fortune sauva mes jours, elle fit de moi un esclave et me soumit aux ordres de Polybe. Devenu le meurtrier de mon père, j'entrai dans le lit de ma malheureuse mère ; père et frère de mes enfants, j'ai causé leur mort, en faisant tomber sur eux les imprécations dont Laïos avait chargé ma tête. Car je ne suis pas assez dépourvu de sens pour m'être arraché les yeux et avoir attenté à la vie de mes fils, si je n'y avais pas été poussé par quelque dieu. Soit. Que deviendrai-je, infortuné que je suis ? Qui conduira les pas du pauvre aveugle ? Celle qui est morte ? vivante, je sais bien qu'elle l'eût fait. Mes deux fils ? je ne les ai plus. Mais je suis encore assez jeune pour suffire à mes besoins ? Non, sans doute. Ah ! Créon, pourquoi me condamnes-tu ainsi à périr ? Car c'est me tuer que de me chasser de cette terre. Ne crois pas toutefois que je me montre lâche en embrassant tes genoux : non, je ne démentirai pas la noblesse de ma naissance, si grande que soit mon infortune.

CRÉON

Tu as raison de ne pas vouloir embrasser mes genoux ; je ne te laisserai point habiter sur le sol thébain. Quant à ces deux corps, il faut transporter celui-ci dans le palais ; mais le cadavre de Polynice, qui est venu avec d'autres pour détruire sa patrie, jetez-le, sans sépulture, hors des confins de ce pays. Voici ce que le héraut annoncera à tous les Thébains : « Quiconque sera surpris à couronner le cadavre ou à l'inhumer sera puni de mort. » Pour toi, Antigone, cesse de pleurer ces trois morts et rentre dans l'intérieur du palais ; comporte-toi comme une vierge, en attendant le jour prochain où l'hymen te liera à mon fils.

ANTIGONE

Ô mon père ! dans quel abîme de maux sommes-nous plongés ! Combien je pleure sur toi plus que sur les morts ! Car, parmi les infortunes, celle-ci n'est point pesante, celle-là légère à porter : toutes sont également accablantes. Mais je le demande à notre nouveau roi : pourquoi outrager mon père en le chassant de cette terre ? Pourquoi établir ces lois contre un mort malheureux ?

CRÉON

Ce sont les volontés d'Étéocle, et non les miennes.

ANTIGONE

Volontés insensées ! fou toi-même d'y souscrire !

CRÉON

Comment ? n'est-il pas juste d'exécuter les ordres qu'on a reçus ?

ANTIGONE

Non, quand ils sont pervers et impies.

CRÉON

Quoi ! n'est-ce pas justement que celui-ci sera livré aux chiens !

ANTIGONE

Vous violez les lois en lui infligeant un pareil châtiment.

CRÉON

C'est qu'il fut l'ennemi de la ville, quand il en était le défenseur naturel.

ANTIGONE

Il a fait à la fortune l'abandon de sa vie.

CRÉON

Eh bien ! qu'il en soit puni par la privation du tombeau.

ANTIGONE

Quel crime a-t-il commis en réclamant sa part de royauté ?

CRÉON

Il restera sans sépulture, sache-le bien.

ANTIGONE

Moi, je l'ensevelirai, malgré la défense de la ville.

CRÉON

C'est vouloir t'ensevelir toi-même à côté de ce mort.

ANTIGONE

Il est glorieux pour deux êtres qui s'aiment de reposer l'un près de l'autre.

CRÉON

Qu'on la saisisse et qu'on l'entraîne dans le palais.

ANTIGONE

Non, non, je ne me séparerai pas de ce corps chéri.

CRÉON

Ce que tu désapprouves, jeune fille, un dieu l'a ordonné.

ANTIGONE

Il est ordonné aussi de ne pas outrager les morts.

CRÉON

Que nul ne répande sur lui une poussière humide.

ANTIGONE

Ah ! je t'en supplie, Créon, au nom de Jocaste, ma mère...

CRÉON

Inutiles efforts ! tu n'obtiendras rien.

ANTIGONE

Permets-moi du moins de laver ce cadavre.

CRÉON

C'est là une des choses interdites à la ville.

ANTIGONE

Souffre que je bande ces cruelles blessures.

CRÉON

Il t'est interdit de rendre aucun honneur à ce mort.

ANTIGONE

Cher Polynice, que du moins j'applique mes lèvres sur les tiennes.

CRÉON

Garde-toi d'attirer le malheur sur ton hymen par ces lamentations.

ANTIGONE

Crois-tu donc que vivante j'épouse jamais ton fils ?

CRÉON

Tu y seras bien forcée : comment échapperas-tu à cet hymen ?

ANTIGONE

Eh bien ! cette nuit-là les Danaïdes auront une sœur de plus.

CRÉON

Voyez de quel crime elle nous menace.

ANTIGONE

J'en jure par le fer, par le glaive témoin de mon serment.

CRÉON

Et pourquoi désires-tu te soustraire à cette alliance ?

ANTIGONE

Je fuirai avec mon malheureux père.

CRÉON

Tu as le cœur généreux, mais ta raison est égarée.

ANTIGONE

Et je mourrai avec lui, si tu veux en savoir davantage.

CRÉON

Va, tu ne tueras point mon fils ; quitte ce pays.

ŒDIPE

Ô ma fille, je te loue de ton zèle.

ANTIGONE

Mais si j'épousais Hémon, et que tu partisses seul en exil, mon père...

ŒDIPE

Reste et sois heureuse : je saurai me résigner à mes maux.

ANTIGONE

Et qui prendra soin du pauvre aveugle, ô mon père ?

ŒDIPE

Je tomberai et resterai gisant sur le sol aux lieux fixés par le destin.

ANTIGONE

Qu'est devenu Œdipe, et l'énigme qui fit sa gloire ?

ŒDIPE

Il n'est plus : un seul et même jour a causé son bonheur et sa perte.

ANTIGONE

Aussi dois-je partager tes maux.

ŒDIPE

Il est honteux pour une fille d'accompagner dans l'exil son père aveugle.

ANTIGONE

Honteux ? non, mais honorable, si elle est vertueuse.

ŒDIPE

Conduis-moi donc, que je touche le corps de ta mère.

ANTIGONE

La voilà : porte ta main sur ces restes chéris.

ŒDIPE

Ô mère ! ô épouse infortunée !

ANTIGONE

Bien digne de pitié, accablée de tous les maux à la fois !

ŒDIPE

Où est le corps d'Étéocle ? où est celui de Polynice ?

ANTIGONE

Tous deux sont étendus sans vie à côté l'un de l'autre.

ŒDIPE

Pose la main de l'aveugle sur leurs visages infortunés.

ANTIGONE

Tiens, touche les corps inanimés de tes fils.

ŒDIPE

Ô cadavres chéris ! malheureux fils d'un père malheureux !

ANTIGONE

Ô doux nom de Polynice, si cher à mon cœur !

ŒDIPE

Aujourd'hui s'accomplit, ô ma fille, l'oracle d'Apollon.

ANTIGONE

Quel oracle ? Vas-tu m'annoncer encore de nouveaux malheurs ?

ŒDIPE

Le dieu a déclaré que je mourrais en exil à Athènes.

ANTIGONE

Où ? quelle forteresse de l'Attique te recevra ?

ŒDIPE

Le bourg sacré de Colone, séjour du dieu Poséidon. Allons, ma fille, guide les pas de ton père aveugle, puisque tu veux être la compagne de son exil.

ANTIGONE

Pars pour un triste exil : tends-moi ta main chérie, ô mon vieux père, et suis mon impulsion comme le navire que pousse le vent.

ŒDIPE

Je te suis, ma fille : guide mes pas, infortunée !

ANTIGONE

Parmi les vierges thébaines, il n'en est certes pas de plus misérable.

ŒDIPE

Où posé-je mon pied chancelant ? Tends-moi mon bâton, ma fille.

ANTIGONE

Ici... ici... pose ici ton pied, mon père, toi dont la force est comme un songe.

ŒDIPE

Oh ! oh ! cruel exil ! me chasser, chasser un vieillard de sa patrie ! Quels maux affreux j'ai soufferts !

ANTIGONE

Qu'as-tu souffert, dis-tu ? La justice ne voit pas les méchants et ne paye pas aux mortels le prix de leurs sottises.

ŒDIPE

C'est moi qui me suis élevé à une sagesse céleste, victorieuse, en expliquant l'énigme obscure du Sphinx.

ANTIGONE

Tu rappelles la honteuse défaite du Sphinx ? Cesse d'évoquer ta prospérité passée. Cette cruelle souffrance t'était réservée, ô mon père, d'être proscrit de ta patrie et d'aller mourir n'importe où. Moi, laissant à mes chères compagnes des regrets et des larmes, je m'en vais loin de ma terre natale, condamnée à une vie errante peu faite pour une jeune fille.

ŒDIPE

Ô cœur généreux !

ANTIGONE

Du moins cette générosité, dans les malheurs de mon père, fera ma gloire. Mais je souffre de voir mon frère outragé, son corps exclu de la maison paternelle et laissé sans sépulture : l'infortuné ! dussé-je périr, mon père, je le cacherai dans le sein ténébreux de la terre.

[...]

ŒDIPE

Ô citoyens de mon illustre patrie ! voyez, je suis cet Œdipe, qui s'acquit un grand renom en expliquant l'énigme fameuse du Sphinx, et qui mit seul un terme à la tyrannie de ce monstre sanguinaire : aujourd'hui, couvert d'opprobre et digne de pitié, je suis chassé de ma patrie. Mais à quoi bon gémir et pleurer inutilement mon sort ? Il faut qu'un mortel subisse la destinée que les dieux lui envoient.

LE CHŒUR

Ô très auguste Victoire, préside toujours à ma vie, et ne cesse pas de la couronner.

Fin de la pièce

4
SOPHOCLE
ANTIGONE
440 avant J.-C.

L'action se passe devant le palais royal de Thèbes.	**Personnages :** Antigone, fille d'Œdipe et de Jocaste Ismène, sœur d'Antigone Créon, frère de Jocaste, roi de Thèbes Hémon, fils de Créon, fiancé à Antigone Eurydice, femme de Créon Le devin aveugle Tirésias Un garde Un messager Un serviteur du palais Le chœur, composé de vieillards thébains

Ne sont mentionnés ci-après que les personnages qui prennent la parole.

PROLOGUE vers 1-99 : Antigone, Ismène	Antigone apprend à Ismène l'ordre de Créon : laisser le corps de Polynice sans sépulture sous peine de mort. Cependant, elle se dit prête à inhumer son frère, tandis que sa sœur craint le châtiment.
PARODOS (entrée du chœur) vers 100-154 : le chœur, le coryphée	Rappel de la lutte fratricide qui s'est achevée par la mort d'Étéocle et de Polynice.

PREMIER ÉPISODE vers 155-331 : le coryphée, Créon, le garde	Créon impose son autorité de nouveau roi de Thèbes : il justifie son ordre de laisser le cadavre du « traître » Polynice être « la proie des oiseaux et des chiens ». Un garde vient alors annoncer que, malgré la surveillance, le corps a été « recouvert de fine poussière ». Fureur de Créon qui menace le garde et lui ordonne de retrouver le coupable.
PREMIER STASIMON vers 332-373 : le chœur	Le chœur chante les « merveilles » accomplies par l'homme dans tous les domaines de la technique et de la pensée.
DEUXIÈME ÉPISODE ➜ vers 374-581 : le coryphée, le garde, Antigone, Créon, Ismène	Le garde amène Antigone, surprise alors qu'elle était revenue enterrer son frère selon les rites. Violent face-à-face Antigone/Créon. Arrive Ismène qui se déclare prête à partager le sort de sa sœur ; Antigone la rabroue. Créon ordonne de les enfermer toutes les deux.
DEUXIÈME STASIMON vers 582-625 : le chœur	Lamentations sur les malheurs que doivent subir les hommes et sur les Labdacides.
TROISIÈME ÉPISODE ➜ vers 626-780 : le coryphée, Créon, Hémon	Entrée en scène d'Hémon. Créon exalte les vertus d'obéissance chez les fils et d'ordre chez les rois. Hémon lui conseille d'écouter la rumeur du peuple en faveur d'Antigone. Dispute entre le père et le fils. Créon lui reproche son amour pour Antigone, Hémon sort en menaçant de se suicider avec elle.
TROISIÈME STASIMON vers 781-800 : le chœur	Lamentations du chœur sur le pouvoir d'Éros (l'Amour).
QUATRIÈME ÉPISODE ➜ vers 801-943 : le coryphée, Antigone, Créon	Pathétiques adieux d'Antigone à la lumière du jour et aux bonheurs qu'elle ne connaîtra pas : elle s'ap-

	prête à « descendre vivante dans le séjour des morts ».
QUATRIÈME STASIMON vers 944-987 : le chœur	Lamentations sur les malheureux qui ont péri ensevelis vivants comme Antigone.
CINQUIÈME ÉPISODE vers 988-1114 : Tirésias, Créon, le coryphée	Arrive le devin Tirésias qui reproche à Créon son intransigeance et le menace de la vengeance des Érinyes en lui annonçant les pires malheurs pour sa famille.
CINQUIÈME STASIMON vers 1115-1154 : le chœur	Invocations à Dionysos et à la ville de Thèbes.
EXODOS vers 1155-1353 : le messager, le coryphée, Eurydice, Créon, le serviteur	Entrée en scène d'Eurydice ; un messager vient lui annoncer la mort d'Antigone, qui s'est pendue dans son tombeau, et le suicide d'Hémon, que son père n'a pu empêcher. Sortie d'Eurydice. Arrive Créon portant le cadavre d'Hémon. Désespéré, il reconnaît sa folie. Un serviteur vient alors annoncer la mort d'Eurydice qui s'est poignardée dans le palais. Lamentations de Créon accablé et repentant.

ANTIGONE [1]

Prologue

ANTIGONE

Ismène, ma sœur, de tous les maux qu'Œdipe a suspendus sur sa race, en sais-tu un seul dont Zeus n'ait pas encore affligé notre vie ? Il n'est rien de triste, et sans parler de nos infortunes, il n'est rien de funeste, rien d'igno-

1. Traduction de Nicolas-Louis Artaud (revue, corrigée et annotée par A. Collognat), in *Tragédies de Sophocle*, Charpentier libraire-éditeur, 1845.

minieux, qui ne se retrouve dans nos communs malheurs ; et, aujourd'hui, quel est ce nouvel édit que le roi vient de faire proclamer dans toute la ville ? Tu le connais sans doute ? tu n'ignores pas l'affront que nos ennemis préparent à ce qui nous est cher ?

ISMÈNE

Ô Antigone, nulle nouvelle agréable ou funeste n'est venue jusqu'à moi, depuis la perte de nos deux frères mortellement frappés l'un par l'autre. L'armée des Argiens ayant pris la fuite cette nuit même, je ne vois plus rien qui puisse accroître notre bonheur ou nos maux.

ANTIGONE

Je le savais, et je t'ai appelée hors du palais, pour que tu entendes seule ce que j'ai à te dire.

ISMÈNE

Qu'y a-t-il donc ? tu parais profondément préoccupée.

ANTIGONE

Eh quoi ! Créon n'a-t-il pas accordé à l'un de nos frères, et refusé à l'autre les honneurs de la sépulture ? Il a, dit-on, enseveli Étéocle, ainsi qu'il était juste, et conformément aux lois, et lui a assuré une place honorable aux Enfers parmi les morts : mais l'infortuné Polynice, il défend aux citoyens d'enfermer son cadavre dans une tombe et de le pleurer ; il veut qu'il reste privé de regrets, privé de sépulture, en proie aux oiseaux dévorants. Tels sont les ordres que la bonté de Créon t'impose ainsi qu'à moi, moi, te dis-je ; et lui-même viendra, dit-on, en ces lieux, les proclamer à ceux qui les ignorent ; il y attache la plus haute importance, et menace quiconque les violera d'être lapidé par le peuple. Tu m'as entendue ; ce jour fera voir si tu as de nobles sentiments, ou si tu démens ta naissance.

ISMÈNE

Mais, malheureuse, s'il en est ainsi, en quoi puis-je te servir, soit par mes paroles, soit par mes actes ?

ANTIGONE

Vois si tu es prête à m'aider et à seconder mes efforts.

ISMÈNE

De quoi s'agit-il ? quels sont tes projets ?

ANTIGONE

M'aideras-tu à enlever le cadavre ?

ISMÈNE

Prétends-tu l'ensevelir, malgré la défense publique ?

ANTIGONE

Oui, j'ensevelirai mon frère et le tien, lors même que tu t'y refuserais : on ne m'accusera pas de trahir mes devoirs.

ISMÈNE

Quoi, malheureuse, malgré les ordres de Créon ?

ANTIGONE

Mais il n'a pas le droit d'interdire la sépulture à mes proches.

ISMÈNE

Hélas ! ma sœur, songe que notre malheureux père est mort dans l'exécration et l'opprobre [1], après s'être arraché les yeux de ses propres mains, lorsqu'il eut découvert ses crimes : puis sa mère, en même temps son épouse, a terminé sa vie par un lacet fatal : ensuite nos deux frères ont péri le même jour, en se perçant mutuellement le sein. Et nous, tristes restes d'un sang infortuné, considère combien notre sort sera plus misérable, si, au mépris de la loi, nous bravons les ordres et l'autorité de nos maîtres ! Il faut songer d'ailleurs que nous sommes des femmes incapables de lutter contre les hommes ; notre condition dépendante nous oblige de supporter ces maux, et de plus grands encore. Pour moi, priant les esprits des morts de me pardonner si je cède à la nécessité, j'obéirai à ceux qui

1. On sait qu'au soir de sa vie Sophocle imagina une fin plus majestueuse pour son héros dans *Œdipe à Colone* (voir p. 3).

possèdent le pouvoir : c'est une folie de vouloir faire ce qui passe nos forces.

ANTIGONE

Je ne veux point te contraindre ; je serais même fâchée que tu consentisses à partager mes soins. Agis comme il te convient. Je me charge de sa sépulture ; il me sera beau ensuite de mourir. Je reposerai, saintement criminelle, auprès d'un frère chéri : j'ai à plaire aux dieux des Enfers plus longtemps qu'aux hommes sur cette terre, puisque mon séjour avec eux doit être éternel. Toi, méprise, si tu le veux, ce que les dieux honorent.

ISMÈNE

Je ne le méprise point, mais je n'ai nul moyen de lutter contre une ville entière.

ANTIGONE

Ce sont là tes prétextes ; pour moi, je vais élever une tombe au frère le plus chéri.

ISMÈNE

Infortunée ! je tremble pour toi.

ANTIGONE

Ne crains pas pour moi ; songe plutôt à toi-même.

ISMÈNE

Au moins ne révèle tes desseins à personne ; cache-les bien ; moi aussi je te promets le silence.

ANTIGONE

Grands dieux ! parle ; tu me seras bien plus odieuse en gardant le silence, en ne proclamant pas partout mes projets.

ISMÈNE

Tu mets bien de la chaleur dans une affaire qui veut du sang-froid.

ANTIGONE

Je sais, du moins, que je plais à ceux qu'il m'importe de satisfaire.

ISMÈNE

Si toutefois tu peux réussir : mais tu entreprends l'impossible.

ANTIGONE

Eh bien, quand la force me manquera, je m'arrêterai.

ISMÈNE

Mais il ne faut pas même commencer à poursuivre l'impossible.

ANTIGONE

Si tu parles ainsi, tu mériteras ma haine, et tu seras justement odieuse à l'ombre d'un frère. Abandonne-moi aux périls qu'affronte ma témérité ; quel que soit le sort que j'éprouve, il ne peut me ravir une mort honorable.

ISMÈNE

Eh bien, va, si tu le veux ; ta conduite peut être imprudente, mais tu es vraiment dévouée à tous les tiens.

[...]

La condamnation d'Antigone

LE CORYPHÉE

Ô prodige ! dois-je en croire mes yeux ? mais comment douter que ce soit Antigone ? Malheureuse fille du malheureux Œdipe, est-ce pour avoir désobéi aux ordres du roi qu'on t'emmène ainsi, t'aurait-on surprise en faute ?

LE GARDE

C'est elle qui a commis le crime ; nous l'avons surprise ensevelissant Polynice. Où est Créon ?

LE CORYPHÉE

Le voici fort à propos qui sort du palais.

CRÉON

Eh bien ! que s'est-il passé ? que vais-je apprendre ?

LE GARDE

Ô roi, les mortels ne peuvent jurer de rien ; de nouvelles pensées changent nos pensées premières. Troublé de tes menaces, je m'étais promis de ne jamais revenir ici. Mais la joie (car un bonheur inespéré est toujours plus sensible) me fait oublier mes serments ; j'amène cette jeune fille, que l'on a trouvée disposant tout pour la sépulture. Et ici je n'ai pas été envoyé par le sort ; c'est à moi qu'appartient la trouvaille. Ô roi, je remets cette jeune fille entre tes mains ; tu peux l'interroger et la convaincre. Pour moi, affranchi de tout soupçon, je mérite d'échapper au châtiment.

CRÉON

Où et comment l'as-tu surprise ?

LE GARDE

Elle ensevelissait le cadavre. Tu sais tout.

CRÉON

Comprends-tu bien ce que tu dis ? en es-tu assuré ?

LE GARDE

Je l'ai vue inhumer le cadavre que tu avais défendu d'ensevelir : ce langage est-il clair ?

CRÉON

Comment a-t-elle été vue et prise sur le fait ?

LE GARDE

Voici comme la chose s'est passée : effrayés de tes menaces terribles, nous nous sommes rendus près du cadavre ; nous avons écarté toute la poussière qui le couvrait et essuyé les marques de putréfaction, et, nous plaçant sur une élévation, à l'abri du vent, de manière à n'être pas incommodés de l'odeur, nous excitions par de vifs reproches celui qui n'était pas assez attentif. Cela dura jusqu'au moment où le soleil radieux, au milieu de sa course, fit sentir toute son ardeur. Alors un vent violent éleva tout à coup un tourbillon, le fléau des airs ; il remplit toute la plaine et dépouille les arbres de leur parure : le ciel même en est obscurci ; contraints de fermer les yeux, nous attendons que le courroux des dieux s'apaise. Lorsque enfin l'ouragan se dissipe, on aperçoit cette jeune fille poussant des cris aigus, telle qu'un oiseau désolé qui retrouve son nid désert et vide de ses petits : ainsi, à la vue du cadavre nu, elle laisse éclater ses sanglots, et vomit d'affreuses imprécations contre ceux qui ont détruit son ouvrage. Aussitôt ses mains le recouvrent de poussière, et, avec un vase d'airain artistement travaillé, elle fait des libations sur le mort. Nous courons à l'instant et la saisissons, sans qu'elle montre aucun trouble. Nous l'interrogeons sur ce qui a précédé, et sur ce que nous avons vu ; elle ne nie rien. Je ressens tout ensemble de la peine et de la joie, car il est doux d'échapper au châtiment, mais il est pénible d'y livrer ce qui nous est cher. Cependant il est naturel que je préfère mon propre salut.

CRÉON

Ô toi, qui tiens les yeux baissés vers la terre, avoues-tu, ou nies-tu avoir fait ce dont il t'accuse ?

ANTIGONE

Oui, j'avoue l'avoir fait, je suis loin de le nier.

CRÉON

Toi, tu peux te retirer, tu es libre de l'accusation qui pesait sur toi. – Pour toi, réponds en peu de mots : connaissais-tu la défense que j'ai fait proclamer ?

ANTIGONE

Je la connaissais : pouvais-je ne pas la connaître ? Elle était assez publique.

CRÉON

Et tu as osé enfreindre ces lois ?

ANTIGONE

Ce n'est ni Zeus qui me les a révélées, ni la Justice [1] qui habite avec les divinités infernales, ces auteurs des lois qui règnent vraiment parmi les hommes ; et je ne pensais pas que les décrets d'un mortel comme toi eussent assez de force pour prévaloir sur les lois non écrites,

1. Voir *Dikè*, p. 188.

œuvre immuable des dieux. Celles-ci ne sont ni d'aujourd'hui ni d'hier ; toujours vivantes, nul ne sait leur origine. Devais-je, cédant aux menaces d'un homme, encourir la vengeance des dieux ? Je savais qu'il me faudrait mourir : ne le devais-je pas, même sans ton décret ? Si j'en avance le moment, ce m'est un précieux avantage. Pour quiconque a vécu comme moi dans le malheur, comment la mort ne serait-elle pas un bien ? Pour moi donc, cette destinée n'a rien de malheureux ; mais si j'avais laissé sans sépulture le corps de mon frère, c'est alors que je serais malheureuse : quant à mon sort présent, il ne m'attriste en rien. Si ma conduite te paraît insensée, il faut que ce soit un fou qui m'accuse de démence.

LE CORYPHÉE

L'esprit inflexible du père se reconnaît dans le caractère inflexible de la fille ; elle ne sait point céder à l'infortune.

CRÉON

Mais ces esprits inflexibles s'abattent aisément : le fer le plus dur s'amollit par la flamme et se brise ; un léger frein réprime la fougue des plus fiers coursiers. L'orgueil sied mal à l'esclavage. Elle savait qu'elle m'outrageait en violant mes ordres ; elle ajoute à son crime celui d'en tirer vanité, et de sourire avec dédain. Certes, je ne serais plus l'homme si cette audace demeurait impunie. Mais qu'elle me soit unie par ma sœur, ou par toute autre femme encore plus rapprochée de moi par les liens du sang, elle et sa sœur n'échapperont point à la mort la plus honteuse. Je pense que celle-ci n'est pas moins coupable. Qu'on l'appelle. Je l'ai aperçue dans le palais, égarée, hors d'elle-même : l'agitation de l'esprit trahit les projets criminels tramés dans l'ombre. Je déteste le coupable qui essaie de parer sa faute sous de belles paroles.

ANTIGONE

Tu peux me faire périr ; que veux-tu de plus ?

CRÉON

Rien : cela me suffit.

ANTIGONE

Qu'as-tu donc ? Tes discours me déplaisent et ne me plairont jamais : les miens ne te sont pas moins odieux. Cependant pouvais-je rien faire de plus honorable que d'ensevelir un frère ? Chacun ici applaudirait à mes paroles, si la crainte ne fermait la bouche. Entre beaucoup d'autres avantages, la royauté a encore celui de pouvoir faire et dire ce qui lui plaît.

CRÉON

De tous les Thébains, tu es la seule qui pense ainsi de moi.

ANTIGONE

Ils ont les mêmes pensées, mais la peur étouffe leur voix.

CRÉON

Ne rougis-tu point de penser autrement qu'eux ?

ANTIGONE

On n'a pas à rougir d'honorer un frère.

CRÉON

Étéocle n'est-il pas aussi le tien ?

ANTIGONE

Il est issu du même père et de la même mère.

CRÉON

Pourquoi lui déplaire, en rendant des honneurs à son ennemi ?

ANTIGONE

Jamais il ne m'en fera un crime.

CRÉON

Mais tu rends des hommages égaux à l'impie ?

ANTIGONE

Ce n'est pas un esclave, il était son frère.

CRÉON

L'un ravageait sa patrie ; l'autre combattait pour elle.

ANTIGONE

Hadès impose des lois égales pour tous.

CRÉON

Mais on ne doit pas traiter également l'homme de bien et le méchant.

ANTIGONE

Qui sait si ces maximes règlent la justice des Enfers ?

CRÉON

Jamais un ennemi ne devient ami, pas même après la mort.

ANTIGONE

Je ne suis pas née pour partager la haine, mais l'amour.

CRÉON

Si tu veux aimer, va donc les aimer chez les morts : mais une femme ne régnera pas de mon vivant.

LE CORYPHÉE

Voici aux portes du palais Ismène, versant des larmes fraternelles ; un nuage ternit la fraîcheur de son beau visage mouillé de pleurs.

CRÉON

Je nourrissais donc, sans le savoir, une vipère pour me déchirer le sein ; j'élevais à mon insu deux furies pour la ruine de mon trône. Eh bien ! parle, avoues-tu aussi avoir pris part à cette sépulture, ou bien protestes-tu de ton innocence ?

ISMÈNE

Je suis coupable, si ma sœur permet de le dire, je partage sa faute.

ANTIGONE

La justice ne le souffrira pas, car tu as refusé d'y prendre part, et je ne t'y ai point admise.

ISMÈNE

Dans ton malheur, je ne rougis point de m'associer à tes dangers.

ANTIGONE

Hadès et les esprits des morts m'en sont témoins, je n'aime pas ceux qui n'aiment qu'en paroles.

ISMÈNE

Ô ma sœur, ne me juge pas indigne de mourir avec toi, et d'honorer l'ombre d'un frère.

ANTIGONE

Ne partage point ma mort, et ne revendique point ce dont tu n'es pas complice : c'est assez que je meure.

ISMÈNE

En te perdant, la vie pourrait-elle me plaire ?

ANTIGONE

Demande à Créon ; tu t'intéresses à sa gloire.

ISMÈNE

Pourquoi m'affliges-tu sans utilité pour toi ?

ANTIGONE

C'est avec douleur que je te raille ainsi.

ISMÈNE

En quoi pourrais-je maintenant te servir ?

ANTIGONE

Vis : je ne t'envie point ce bonheur.

ISMÈNE

Hélas ! tu me refuses même de partager ton destin ?

ANTIGONE

Nous avons choisi, toi la vie, moi la mort.

ISMÈNE

Au moins je ne t'ai pas épargné les conseils.

ANTIGONE

Tu croyais bien faire ; et moi, je ne me croyais pas moins sage.

ISMÈNE

La faute nous est commune.

ANTIGONE

Prends courage ; c'est à toi de vivre : pour moi, mon âme est déjà morte, et je ne puis plus être utile qu'aux morts.

CRÉON

De ces deux filles, l'une a perdu la raison depuis peu, l'autre depuis qu'elle est née.

ISMÈNE

Ô roi, jamais l'esprit même le plus sain ne résiste à l'adversité.

CRÉON

C'est bien vrai pour toi, qui as été si prompte à partager le crime.

ISMÈNE

Seule, et sans elle, comment pourrais-je vivre ?

CRÉON

Elle ! ne la nomme point ; elle n'existe plus.

ISMÈNE

Feras-tu périr la fiancée de ton fils ?

CRÉON

Il trouvera une autre épouse.

ISMÈNE

Mais non aussi bien assortie.

CRÉON

Je ne veux point pour mes fils de femmes criminelles.

ISMÈNE

Ô cher Hémon, avec quel mépris te traite ton père !

CRÉON

Tu m'importunes avec tes épousailles.

ISMÈNE

Tu veux donc ravir à ton fils celle qu'il aime ?

CRÉON

C'est Hadès qui rompra ce mariage.

ISMÈNE

Je le vois, ta résolution est bien prise de la faire périr.

CRÉON

Elle est prise, comme tu le vois. C'est trop de retard ; qu'on les emmène. Que dès ce moment elles soient attachées et privées de liberté. Car les plus braves fuient quand ils voient de près le terme de leurs jours.

[...]

Hémon défend Antigone

LE CORYPHÉE

Mais voici Hémon, le plus jeune de tes enfants. Vient-il, attristé du sort d'Antigone, sa fiancée, déplorer la perte de son mariage ?

CRÉON

Nous le saurons bientôt avec plus de certitude que les devins. Mon fils, viens-tu reprocher à ton père le décret rendu contre ton épouse ; ou, quoi que je fasse, te suis-je toujours cher ?

HÉMON

Mon père, je suis à toi ; tu me guides par de sages conseils, que je ne refuserai jamais de suivre. Il n'est point d'hymen que je préfère à tes ordres, s'ils sont justes.

CRÉON

Tels doivent être tes sentiments, mon fils ; tout doit céder aux volontés d'un père. On ne désire des enfants que pour trouver en eux des cœurs dociles, qui détestent nos ennemis, et qui honorent nos amis à l'égal de leur père. Celui qui a des enfants rebelles, que fait-il, sinon de se préparer des peines à lui-même, et de la joie à ses ennemis ? Ne te laisse jamais aveugler par l'amour d'une femme ; ce sont de froids embrassements que ceux d'une femme méchante, qui partage notre couche et notre demeure. En effet, quel fléau plus cruel qu'un perfide amour ? Rejette-la loin de toi ; il lui faut aux Enfers un époux digne d'elle. Puisque, seule entre les Thébains, elle s'est révoltée ouvertement contre mes ordres, je ne me démentirai point aux yeux de la ville, elle mourra. Qu'elle implore Zeus protecteur des liens du sang : si je souffre la désobéissance dans mes proches, que dois-je attendre des étrangers ? Quiconque régit bien sa famille saura gouverner avec justice un État. Un tel homme, j'en ai la confiance, saura également bien commander et bien obéir ; et, dans les périls de la guerre, il restera à son poste, et défendra vaillamment ses alliés. Mais celui qui transgresse et viole les lois, ou qui veut donner des ordres à ceux qui commandent, celui-là ne saurait obtenir mes éloges. Il faut obéir à celui que l'État a choisi pour maître, en toutes choses, petites ou grandes, justes ou injustes. L'anarchie est le plus grand des maux : elle ruine les cités, bouleverse les familles, jette les armées dans le désordre et la fuite ; ceux, au contraire, qui restent fermes à leur poste, l'obéissance fait leur salut. C'est ainsi qu'on doit maintenir le respect des lois, et ne jamais céder à une femme. Il vaut mieux, s'il le faut, se soumettre à un homme ; au moins nous ne dégradons point notre sexe.

LE CORYPHÉE

Si notre jugement n'est point affaibli par l'âge, il nous semble que tes paroles sont dictées par la sagesse.

HÉMON

Mon père, la raison est sans doute le don le plus précieux que la divinité fasse aux hommes. Je ne pourrais ni ne saurais nier la vérité de tes paroles : cependant un autre encore peut parler avec sagesse. Il est de mon devoir d'être attentif aux actions, aux paroles, aux reproches qui te concernent. Le peuple redoute ta présence, si l'on en juge à des propos qui te déplairaient à entendre ; mais je recueille leurs entretiens secrets ; ils pleurent le sort de cette jeune fille, injustement condamnée, entre toutes, au plus cruel supplice, pour l'action la plus belle. « Quoi ! elle n'a point souffert que son frère, tué dans les combats, restât sans sépulture, en proie aux oiseaux et aux chiens dévorants ! Ne méritait-elle pas les plus glorieuses récompenses ? » Tels sont leurs discours secrets. Pour moi, mon père, il n'est rien de plus précieux que la prospérité. Qu'y a-t-il en effet de plus désirable pour un fils que la gloire d'un père, et pour un père que celle de ses enfants ! Mais ne te persuade point que tes avis soient les seuls bons et justes. Tel qui croit penser, parler, réfléchir mieux que tout autre, paraît souvent dénué de sens à ceux qui l'examinent de près. Un homme, un sage même n'a point à rougir d'apprendre chaque jour, et de ne pas être opiniâtre. Vois l'arbre qui cède au torrent, il conserve ses branches ; celui qui résiste est entraîné avec ses racines. Le pilote qui, la voile toujours déployée, ne cède rien à l'orage, voit bientôt sa barque renversée, et vogue sur des débris. Modère donc ta colère, et laisse accès à un changement de résolution. Si, malgré ma jeunesse, j'ai quelque jugement, ce qu'il y a de mieux c'est de savoir toutes choses ; sinon, et d'ordinaire il en est ainsi, il est encore beau de s'instruire auprès de ceux qui savent.

[...]

Les adieux d'Antigone

ANTIGONE

Citoyens de Thèbes, ma patrie, voyez-moi marcher au sentier fatal, et regarder pour la dernière fois la brillante lumière du soleil : Hadès m'entraîne toute vivante aux bords de l'Achéron, sans que j'aie goûté les douceurs de l'hymen, dont les chants ne se feront pas entendre pour moi ; l'Achéron sera mon époux.

LE CORYPHÉE

Tu iras donc pleine de gloire à cette sombre retraite des morts, sans avoir été atteinte par les maladies dévorantes, ou par le tranchant du glaive ; c'est libre, vivante, et abandonnée des hommes, que tu descendras aux Enfers.

ANTIGONE

J'ai entendu raconter la mort déplorable de l'infortunée Phrygienne [1], fille de Tantale, sur le mont Sipyle ; la pierre l'enveloppa comme un lierre indissoluble ; on dit

1. Niobé.

que de son front, toujours couvert de neige, coule sans cesse une pluie de larmes, et les pleurs qui s'échappent de ses yeux arrosent sa poitrine : ainsi qu'elle, le sort va m'endormir sous une enveloppe de pierre.

LE CORYPHÉE

Mais elle était déesse et fille des dieux ; nous, nous sommes mortels et fils des hommes : cependant il est glorieux, en mourant, de partager le sort réservé aux dieux.

ANTIGONE

Hélas ! on rit de ma misère. Au nom des dieux de ma patrie, pourquoi m'insulter avant ma mort, et tandis que je respire ? Ô ville ! ô puissants citoyens ! sources de Dircé, bois sacrés de Thèbes, je vous prends à témoin de l'indifférence de mes amis, et de la loi cruelle qui me précipite dans une prison qui doit être mon tombeau ! Infortunée ! qui ne suis ni avec les humains ni avec les ombres des défunts, ni au nombre des morts ni parmi les vivants !

LE CHŒUR

Dans l'excès de ton audace, tu as violemment heurté le trône de la Justice. Sans doute tu expies quelque crime de ton père ?

ANTIGONE

Ah ! tu rouvres mes blessures les plus cuisantes, les douleurs si connues de mon père, et de toute notre déplorable race des Labdacides. Ô fatal hymen ! union incestueuse de ma malheureuse mère avec celui qu'elle-même avait enfanté, et dont je suis la fille infortunée ! j'irai les rejoindre chargée d'imprécations, et sans avoir connu les douceurs du mariage. Ô mon frère, c'est ton funeste hymen [1], c'est ta mort qui m'arrache la vie.

1. Polynice avait épousé la fille d'Adraste, roi d'Argos, dont l'armée avait marché contre Thèbes.

LE CHŒUR

La piété envers les morts est digne d'éloges ; mais il n'est point permis d'enfreindre les ordres de celui qui gouverne : c'est ta colère volontaire qui t'a perdue.

ANTIGONE

Sans consolations, sans amis, sans époux, me voici engagée dans la route fatale : je ne verrai plus l'éclat sacré du jour, et nul ami ne donne à mon sort ni larmes ni regrets.

CRÉON

Ignorez-vous que ces lamentations et ces pleurs avant de mourir n'auraient jamais de fin, s'ils étaient bons à quelque chose ? Que tardez-vous à l'emmener ? Renfermez-la, solitaire, dans ce tombeau obscur, comme je l'ai prescrit ; soit qu'elle doive y mourir, soit qu'elle doive y être ensevelie vivante : ainsi nous serons purs de la mort de cette jeune fille, et elle restera privée du commerce des vivants.

ANTIGONE

Ô tombeau ! ô lit nuptial ! demeure souterraine, prison éternelle, où je vais retrouver aux enfers mes proches, dont Perséphone a déjà reçu le plus grand nombre parmi les morts ; je meurs la dernière et la plus misérable, avant que le destin ait marqué la fin de mes jours. Là, du moins, j'espère être agréable à un père, à toi, ma mère, à toi, frère chéri : car vous tous, après votre mort, je vous ai recueillis de mes mains, je vous ai purifiés, j'ai versé sur vous les libations funèbres : et maintenant, cher Polynice, c'est pour avoir enseveli ton corps que je reçois cette triste récompense. Toutefois les sages jugeront que je t'ai dignement rendu ces derniers honneurs. Jamais pour des enfants, si j'eusse été mère, jamais pour un époux, si j'avais eu à pleurer sa mort, je n'aurais entrepris cette tâche, malgré les défenses publiques. Or, à quelle loi, dans cette occasion, ai-je voulu obéir ? Qu'un époux vienne à mourir, j'en puis retrouver un autre ; et si je perdais un fils, j'en puis avoir d'un autre époux : mais puisque ma mère et mon père sont partis dans l'Hadès, la perte d'un frère n'est plus réparable. C'est pour avoir rempli envers toi ce devoir sacré que Créon m'a jugée coupable, et qu'il m'accuse d'attentat, ô frère chéri. Et maintenant ses mains m'entraînent, vierge encore, avant que j'aie goûté les douceurs de l'hymen et les plaisirs de la maternité. L'amitié me refuse ses larmes, et je descends vivante dans le séjour des morts. Grands dieux, laquelle de vos lois ai-je donc violée ? Mais que me sert d'implorer encore les dieux ? quel secours dois-je en attendre, puisque ma piété même m'attire les peines réservées aux impies ? Si ces choses sont approuvées des dieux, je reconnais que je souffre par ma faute ; mais si mes ennemis sont coupables, je ne leur souhaite pas de plus cruel supplice que le mien !

LE CORYPHÉE

Les mêmes transports agitent toujours son âme.

CRÉON

J'en punirai d'autant plus sévèrement ceux qui tardent tant à l'emmener.

ANTIGONE

Ah ! cette parole est l'arrêt de ma mort.

CRÉON

Ne te flatte pas que rien puisse arrêter l'accomplissement de mes ordres.

ANTIGONE

Ô Thèbes, ma patrie ! dieux domestiques ! c'en est donc fait, on m'entraîne. Chefs thébains, voyez les traitements qu'endure la seule fille qui reste de vos rois ; voyez quels hommes la punissent de sa pieuse tendresse.

ÉLECTRE

1
ESCHYLE
LES CHOÉPHORES
458 avant J.-C.

L'action se passe à Argos, devant le palais d'Agamemnon ; près de celui-ci se dresse le tombeau du roi défunt.	**Personnages :** Clytemnestre, veuve d'Agamemnon Égisthe, amant de Clytemnestre Oreste, fils d'Agamemnon et de Clytemnestre Électre, sœur d'Oreste Pylade, cousin d'Oreste La nourrice d'Oreste Le portier du palais Le chœur, composé d'esclaves troyennes porteuses de libations (en grec *choéphoroï*)

Ne sont mentionnés ci-après que les personnages qui prennent la parole.

PROLOGUE vers 1-21 : Oreste	De retour à Argos, Oreste, accompagné de Pylade, vient se recueillir sur la tombe de son père. Il y dépose une mèche de ses cheveux.
PARODOS (entrée du chœur) vers 22-83 : le chœur	Lamentations des choéphores qui apportent des libations sur l'ordre de Clytemnestre.
PREMIER ÉPISODE ➜ vers 84-211 : Électre, le coryphée	Électre et le coryphée déplorent leur sort et procèdent aux libations rituelles sur la tombe d'Agamemnon. Électre trouve la mèche de cheveux et des empreintes

	de pas ; elle pressent qu'il s'agit de son frère.
vers 212-584 : Oreste, Électre, le coryphée, le chœur	Oreste se fait reconnaître par sa sœur ; grande scène lyrique : invocations aux divinités, prières au père assassiné, imprécations contre Clytemnestre. Le coryphée explique la raison des libations : Clytemnestre a rêvé qu'elle accouchait d'un serpent à qui elle donnait le sein ; la vision du serpent suçant son sang avec son lait l'a effrayée. En honorant le mort, elle espère dissiper sa terreur. Oreste expose son plan pour tuer Égisthe et demande à Électre de faire le guet.
PREMIER STASIMON vers 585-652 : le chœur	Lamentations contre l'impudeur des mauvaises femmes et glorification de la Justice de l'Érinys.
DEUXIÈME ÉPISODE vers 653-718 : Oreste, le portier, Clytemnestre vers 719-782 : le coryphée, la nourrice	Oreste se présente comme un étranger au palais ; il annonce à Clytemnestre que son fils est mort. La nourrice d'Oreste pleure sa disparition qui doit être annoncée à Égisthe.
DEUXIÈME STASIMON vers 783-837 : le chœur	Invocation à Zeus et aux dieux pour qu'ils aident Oreste. Encouragement à l'action pour Oreste.
TROISIÈME ÉPISODE vers 838-885 : Égisthe, le coryphée, le portier vers 886-930 : Clytemmestre, le portier, Oreste, Pylade	Arrivée d'Égisthe qui a appris la mort d'Oreste et vient se renseigner auprès de l'étranger. Mort d'Égisthe tué par Oreste. Alertée par les cris, Clytemnestre arrive ; elle tente d'apitoyer Oreste. Pylade redonne courage à son ami en lui rappelant l'ordre de venger son père donné par Apollon. Oreste se prépare à tuer sa mère. Ils sortent.
TROISIÈME STASIMON vers 931-975 : le chœur	Le chœur crie son allégresse, puis l'on voit apparaître Oreste et les

	cadavres de Clytemnestre et d'Égisthe.
EXODOS vers 976-1076 : Oreste, le coryphée	Oreste exhibe les corps et la pièce de tissu qui a permis aux meurtriers de piéger son père. Il voit surgir les Érinyes de sa mère qui le persécutent. Le coryphée lui dit d'aller se purifier auprès d'Apollon.

LES CHOÉPHORES [1]

[...]

Électre retrouve son frère

ÉLECTRE

Esclaves, fidèles servantes de ce palais, vous qui conduisez avec moi ce deuil de suppliantes, aidez-moi de vos conseils. Quand je verserai sur le tombeau les funèbres libations, quels mots dirai-je qui soient doux au mort ; quels vœux adresserai-je à mon père ? Dirai-je : « Ce sont les présents de l'épouse aimée à l'époux aimé, les présents de ma mère ? » Je n'en ai pas le courage ; je ne sais quelles paroles prononcer en épanchant sur le tombeau paternel cette offrande funéraire. Ou bien dirai-je ces mots : « Comme c'est la loi chez les mortels, à ceux qui t'envoient ces couronnes donne un prix en retour, un prix qui réponde aux maux qu'ils t'ont faits ? » Ou bien encore, puisque mon père est mort par un crime, faudra-t-il, sans vœux, sans honneur, comme dans un sacrifice expiatoire, simplement verser les libations, les faire boire à la terre, puis jeter le vase et me retirer sans détourner les yeux ? Ô mes amies, donnez-moi vos conseils ; car vous

1. Traduction d'Alexis Pierron (revue et corrigée par A. Collognat), in *Théâtre d'Eschyle*, Charpentier et Cie éditeurs, 1869.

et moi, dans ce palais, nous avons les mêmes haines. Ne cachez pas votre pensée au fond de vos cœurs ; ne craignez qui que ce soit ; car, libre ou assujetti à une main étrangère, l'homme toujours vit sous la loi du Destin. Parle donc, si tu connais un parti préférable à ce que je viens de dire.

LE CORYPHÉE

J'en atteste le tombeau de ton père, ce tombeau sacré pour moi comme un autel ; je vais, puisque tu me le demandes, m'expliquer sans détour.

ÉLECTRE

Parle-moi comme t'inspire ce respect pour le tombeau de mon père.

LE CORYPHÉE

Fais, en arrosant sa tombe, des vœux pour ceux qui l'aimaient.

ÉLECTRE

Et quels sont-ils, ces amis que je pourrais nommer ?

LE CORYPHÉE

Toi, d'abord ; puis, avec toi, quiconque hait Égisthe.

ÉLECTRE

C'est donc pour moi et pour toi que je dois faire ces vœux ?

LE CORYPHÉE

Oui ; c'est là déjà comprendre ma pensée.

ÉLECTRE

Quel autre donc puis-je nous associer ?

LE CORYPHÉE

Tout absent qu'il est, souviens-toi d'Oreste.

ÉLECTRE

Excellente idée ; tu me donnes là un bien sage conseil.

LE CORYPHÉE

Puis, rappelant l'assassinat, souhaite aux auteurs...

ÉLECTRE

Que souhaiter ? Je ne sais, explique-toi.

LE CHŒUR

Qu'il leur vienne un dieu, quelque mortel...

ÉLECTRE

Est-ce un juge, est-ce un vengeur ?

LE CHŒUR

Dis sans crainte : – qui puisse les égorger à leur tour.

ÉLECTRE

Et les dieux trouveraient sainte et juste une telle prière faite par moi ?

LE CHŒUR

N'est-il pas juste et saint de rendre à un ennemi mal pour mal ?

ÉLECTRE

Hermès souterrain, fais-moi connaître que mes vœux sont arrivés à l'oreille des divinités infernales, de ces divinités qui ont les yeux ouverts sur les meurtriers de mon père ; que la terre enfin les agrée, cette terre qui enfante, qui nourrit tout, à qui revient tout ce qui est sorti de ses flancs. Et moi, je verse aux morts ces libations ; je t'invoque, ô mon père ! prends pitié de moi, de mon Oreste chéri ; fais-nous rendre notre royal héritage. Aujourd'hui, nous sommes errants, vendus, si j'ose dire, par celle qui nous a mis au monde, et qui pour époux a pris à ta place Égisthe, le complice de ta mort. Moi, je compte ici comme une esclave ; Oreste a été chassé de ses biens, il vit dans l'exil ; mais eux, au sein des plaisirs, ils jouissent insolemment du fruit de tes travaux. Fais, je t'en supplie, qu'Oreste revienne triomphant en ces lieux. Écoute aussi, ô mon père ! mes vœux pour moi : donne-moi un cœur plus chaste que celui de ma mère, des mains plus pures. Voilà notre prière. Quant à nos ennemis, parais, ô mon père ! viens les punir ; viens, par un juste retour, rendre la mort à ceux qui te l'ont donnée. À des vœux de bonheur j'ai mêlé des imprécations fatales, mais c'est contre eux ! pour nous, envoie-nous, du fond des Enfers, les biens qui nous manquent ; et puissent te seconder les dieux, et la Terre, et la Justice qui donne la victoire ! Je t'ai adressé mes vœux : reçois ces libations. – Vous, chantez l'hymne funèbre, et mêlez à vos accents les gémissements accoutumés.

LE CHŒUR

Versez des larmes avec des sanglots, infortunées ! sur l'infortune d'un maître : c'est lui qui nous défendra contre le malheur, et qui détournera loin des justes l'odieuse souffrance. Les libations coulent : entends, ô mon auguste maître ! entends ma voix, entends le cri de douleur qui sort du fond des ténèbres de mon âme. Hélas ! hélas ! grands dieux ! quel héros, par sa force guerrière, arrachera ta maison à ses maux ? Qui viendra, vengeur impitoyable, la main armée de l'arc flexible qui lance de loin les flèches inévitables, ou du glaive qu'on tient à la poignée et qui frappe de près ?

ÉLECTRE

Les libations ont pénétré la terre ; mon père les a reçues, ô puissant messager des dieux du ciel et des dieux des Enfers ! (*Au chœur.*) Mais vous, partagez ma surprise.

LE CORYPHÉE

Parle ; mon cœur palpite de crainte.

ÉLECTRE

J'aperçois à l'instant cette boucle de cheveux, qu'on a coupée pour honorer le tombeau.

LE CORYPHÉE

De qui ces cheveux ? d'un homme ? d'une vierge à la large ceinture ?

ÉLECTRE

On peut le deviner sans peine.

LE CORYPHÉE

Et comment ? Moi, ton aînée, j'ai pourtant besoin que tu m'éclaires.

ÉLECTRE

Nul autre que moi, ici, ne l'eût coupée.

LE CORYPHÉE

Non ; car ils sont des ennemis, ceux qui devaient au mort l'hommage de leur chevelure.

ÉLECTRE

Cette boucle, cependant, voyez-la, ressemble...

LE CORYPHÉE

À quels cheveux ? je brûle de l'apprendre.

ÉLECTRE

Aux miens ; voyez : la ressemblance est parfaite.

LE CORYPHÉE

Serait-ce donc une offrande faite en secret par Oreste ?

ÉLECTRE

Oui ; cette boucle est tout à fait pareille aux siennes.

LE CORYPHÉE

Et comment a-t-il osé venir ici ?

ÉLECTRE

Il a envoyé des cheveux, comme une offrande agréable à son père.

LE CORYPHÉE

Nouveau sujet de larmes pour moi, s'il ne doit jamais plus fouler de son pied cette terre.

ÉLECTRE

Et moi, un flot d'amertume a gonflé mon cœur ; un trait pénétrant m'a frappée. De mes yeux tombent des larmes brûlantes, inépuisable torrent de la douleur, à la vue de ces cheveux. Comment croire, en effet, que cette boucle appartienne à quelqu'un d'Argos ? Ce n'est pas la meurtrière non plus qui a fait cette offrande, ce n'est pas ma mère, elle qui dément ce doux nom par son aversion impie pour ses enfants. Mais aussi, comment oser l'affirmer, que c'est un don du mortel qui m'est le plus cher, d'Oreste ! Pourtant l'espérance flatte mon cœur. Ah ! que n'a-t-elle, cette offrande, comme une messagère, une voix qu'on pût comprendre, qui calmât les perplexités de ma pensée ! Que ne puis-je, à des signes certains, ou rejeter loin de moi une boucle coupée sur une tête ennemie, ou, si elle vient d'un frère, l'associer à ma douleur, en faire un ornement pour ce tombeau, un hommage à mon père ! Les dieux le savent ; invoquons donc les dieux, comme fait le nautonier ballotté par la tempête. Mais, si c'est de là que doit sortir notre salut, puisse ce faible germe jeter une racine profonde ! – Un autre indice encore ! des traces de pas semblables à celles que laisse mon pied. Voilà deux sortes d'empreintes : ce sont ses pas et ceux d'un compagnon de voyage. Ici, les talons, les doigts, tout le pied offre les mêmes contours que le mien. Ah ! je sens mon cœur défaillir sous cette poignante angoisse.

Entrent Oreste et Pylade.

ORESTE

Prie-les, ces dieux que tu invoques, d'exaucer aussi bien tes autres souhaits.

ÉLECTRE

Et qu'ai-je donc déjà obtenu des dieux ?

ORESTE

Tu vois devant tes yeux ceux que depuis longtemps tu désires.

ÉLECTRE

Et quel mortel m'as-tu donc entendu appeler de mes vœux ?

ORESTE

Je sais que tu soupires ardemment après Oreste.

ÉLECTRE

En quoi donc mes souhaits sont-ils exaucés ?

ORESTE

Je suis Oreste : ne cherche pas un ami plus dévoué que moi.

ÉLECTRE

Tu veux, étranger, m'enlacer dans quelque piège.

ORESTE

C'est donc moi-même que j'essaierais d'y enlacer.

ÉLECTRE

Ah ! tu veux insulter à mes maux.

ORESTE

Aux miens dès lors, si je pouvais insulter aux tiens.

ÉLECTRE

Oreste ! c'est donc à Oreste que je parle !

ORESTE

C'est bien moi ; mais ton œil hésite à me reconnaître, toi il n'y a qu'un instant hors de toi-même, au seul aspect de cette chevelure, hommage de mes regrets, de la chevelure de ton frère si semblable à la tienne ; toi qui déjà croyais me voir, et qui, jusque dans l'empreinte de ces pas, voulais découvrir Oreste. Rapproche la boucle de l'endroit où je l'ai coupée. Considère ce tissu, ouvrage de ta main, les dessins qu'a tracés la navette, ces figures d'animaux sauvages. Maîtrise-toi, point de délire dans la joie ; car ceux qui devraient le plus nous aimer, je le sais, sont nos ennemis.

ÉLECTRE

Ô cher objet de mes alarmes, espoir tant pleuré d'un germe sauveur, courage ! et tu reprendras possession du palais de ton père. Ô douce lumière de ma vie ! ô toi qui as quatre parts dans mon cœur ! Car il faut que je te salue pour père ; et c'est sur toi que se porte l'amour que j'eus pour une mère, objet aujourd'hui de ma trop juste haine ; pour une sœur impitoyablement immolée sur l'autel ; et tu fus toujours un digne frère, toi qui viens me rendre mes honneurs. Puissent seulement la Force et la Justice, et avec elles Zeus, le souverain des dieux, nous prêter leur appui !

ORESTE

Zeus ! Zeus ! contemple le sort où nous vivons réduits ; vois la race délaissée de l'aigle qui n'est plus. Le père a expiré dans les replis, dans les nœuds d'une affreuse vipère ; eux, malheureux orphelins, ils sont pressés par une faim dévorante, trop faibles encore pour apporter dans leur aire la proie que le père savait atteindre. Ainsi donc nous sommes l'un et l'autre, Électre et moi, deux enfants privés de leur père, tous deux bannis des mêmes foyers. Si tu nous laisses périr, nous, les rejetons d'un roi qui t'offrit tant de victimes, tant d'honneurs, quelle main aussi libérale te préparera les splendides festins du sacrifice ? Eh ! si tu laissais périr la race de l'aigle, qui porterait désormais aux mortels tes prophétiques augures ? Ne sèche pas jusqu'en sa racine l'arbre royal : ses rameaux ne pareraient plus tes autels aux jours des hécatombes. Sois notre aide ; du fond de son abaissement, relève dans toute sa splendeur cette maison dont la ruine aujourd'hui semble accomplie.

LE CORYPHÉE

Ô enfants ! ô sauveurs du foyer paternel ! silence ! Prenez garde, chers enfants, qu'on ne vous entende, qu'un indiscret n'aille tout redire à ceux qui règnent ici. Ah ! puissé-je les voir un jour expirants dans la flamme du bûcher !

ORESTE

Non, il ne me trahira point, le puissant oracle de Loxias, l'oracle qui m'ordonne d'affronter ce péril : j'entends retentir encore sa voix formidable. Le cœur tout plein de vie, je dois subir l'affreux assaut du mal, si je ne poursuis les meurtriers de mon père ; si je ne les frappe comme ils l'ont frappé ; si je ne me venge sur eux de la perte de tous mes biens. Oui, moi-même alors, il l'a dit, je paierai par de longs, d'intolérables tourments, les malheurs de cette ombre chérie. À mon peuple, il annonçait tous les fléaux de la terre, satisfaction due à des divinités courroucées : moi, une hideuse maladie, la lèpre, envahirait mes chairs, et, de sa dent sauvage, dévorerait ma santé d'autrefois ; enfin tout mon poil blanchirait, flétri par la maladie. Le dieu parlait encore d'autres Érinyes qu'armerait contre moi le sang paternel ; du spectre d'un père faisant étinceler sa prunelle dans les ténèbres. Car l'invisible trait que lancent les morts tombés dans leur famille sous une main impie, et la rage furieuse, et les vaines terreurs qu'enfante la nuit, agitent, troublent l'être maudit, le lépreux, le frappent d'un fouet d'airain, le chassent de sa patrie. Plus de part désormais pour lui à la coupe des festins ; plus de place aux libations : on repousse des autels l'objet visible du courroux d'un père ; nul ne l'accueille, nul ne l'admet sous son toit. Méprisé, abhorré de tous les hommes, une mort lente et cruelle le consume avec le temps. Certes, je dois croire à de tels oracles ; n'y croirais-je pas, l'œuvre devrait encore s'accomplir. Car, que de motifs réunis ! les ordres du dieu, et la douloureuse perte de mon père, et l'indigence qui me presse ; puis-je laisser un tel peuple, les plus illustres des mortels, ceux dont le courage a renversé Troie, soumis ainsi aux lois de deux femmes ? – car cet homme a le cœur d'une femme : si je ne me trompe, on le saura bientôt.

LE CORYPHÉE

Ô grandes Moires ! fasse Zeus que la loi d'équité triomphe ! La Justice réclame ce qui lui est dû ; sa voix retentit et nous crie : « Que l'outrage soit puni par l'outrage ! que le meurtre venge le meurtre ! » Mal pour mal, dit la sentence des vieux temps.

ORESTE

Ô mon père, mon malheureux père ! guide la parole, la main de ton fils revenu d'un lointain rivage auprès de ta couche funéraire. Comment faire succéder aux ténèbres la lumière du jour ? Hélas ! des gémissements, la pompe du deuil, voilà donc ce qu'on appelle honneurs pour les antiques maîtres de ce palais, pour les enfants d'Atrée !

LE CHŒUR

Mon enfant, la dent dévorante du feu n'anéantit pas le sentiment chez les morts. Après la vie, ils font éclater leur courroux. La victime jette un cri de douleur, et le meurtrier voit son crime apparaître au jour ; et de toutes parts s'élèvent, retentissent les gémissements que doivent pousser les fils aux malheurs de leurs pères, de ceux qui leur ont donné la vie, les gémissements qui appellent la vengeance.

ÉLECTRE

Écoute, ô mon père, les douloureux regrets que je t'adresse à mon tour ! La voix plaintive de tes deux enfants te pleure sur le tombeau ; suppliants, exilés l'un et l'autre, ta sépulture est leur commun asile. Est-il pour eux quelque joie ? est-il pour eux quelque bien sans douleur ? L'infortune contre laquelle ils luttent n'est-elle pas invincible ? [...] Où êtes-vous, où êtes-vous, Puissances des Enfers ? Voyez, redoutables Imprécations des morts : c'est là ce qui reste de la race d'Atrée ; ces malheureux accablés par l'infortune, honteusement chassés de leur palais ! Où tourner nos pas, ô Zeus ?

LE CHŒUR

Mon cœur tressaille à cette gémissante prière. Je perds toute espérance, un noir frisson pénètre mes entrailles lorsque j'écoute ta voix. Mais bientôt mon courage renaît, confiant dans la vaillance de ton frère ; ma douleur se dissipe, et dans l'avenir je ne vois plus que bonheur.

ÉLECTRE

Quelle prière adresserons-nous aux dieux ? Leur dirons-nous les maux que nous fait souffrir une mère ? Ah ! il est des peines qu'on peut adoucir ; mais celles-ci, rien ne les saurait calmer. Comme la rage du loup dévorant, il est implacable, le courroux que ma mère a mis dans mon cœur !

LE CHŒUR

Ai-je pu seulement faire éclater mon deuil, me lamenter en courant effarée çà et là, frappant à poing fermé ma poitrine, élevant, abaissant mes bras, pour meurtrir de coups redoublés tout mon corps ? A-t-on entendu bruire du retentissement des coups ma tête endolorie ?

ÉLECTRE

Ô mère odieuse ! ô femme impie ! tu as donc osé ensevelir mon père comme un ennemi : les citoyens n'ont pas suivi les funérailles de leur roi ; l'époux n'a point eu de pleurs !

ORESTE

Quel outrage, grands dieux ! Ah ! l'indigne traitement qu'elle a fait subir à mon père ! Oui, grâce au ciel, grâce à ma main, elle en paiera le prix. Que je la tue, après je meurs content !

LE CHŒUR

Apprends tout : elle a mutilé son corps ; c'est ainsi traité qu'elle l'a mis dans la tombe. Enfin elle a voulu accabler ta vie sous le poids d'un insupportable destin. Tu sais les indignes malheurs de ton père.

ORESTE

Quoi ! ce fut là le sort de mon père !

ÉLECTRE

Oui ; et moi, je vivais reléguée à l'écart, sans honneurs, comblée de mépris, chassée du foyer comme un chien malfaisant ; étrangère à la joie, ne connaissant que les pleurs, tout mon bonheur fut de pouvoir cacher mes soupirs et mes larmes. Grave ces paroles dans ton âme ; qu'elles pénètrent, par ton oreille, jusqu'au fond, jusqu'à l'endroit calme de la pensée. Voilà ce qu'ils ont fait : ce qui doit suivre, demande-le à ta haine. Mais, pour descendre au combat, il faut un cœur que rien n'ébranle.

ORESTE

Ô mon père, sois avec ceux qui t'aiment !

ÉLECTRE

Je pleure, je t'appelle par mes cris, et la troupe qui m'entoure répond à mes cris par des cris. Parais au jour, viens à notre aide ; contre tes ennemis sois avec nous !

ORESTE

La force va lutter contre la force, la vengeance contre la vengeance.

ÉLECTRE

Dieux justes, faites triompher la justice !

LE CHŒUR

À cette prière, le frisson s'est glissé dans tout mon être. Depuis longtemps le destin est fixé : invoquons les dieux ; que le destin s'accomplisse.

Ô malheurs attachés à cette famille ! coup terrible, coup sanglant de la vengeance ! Ô lamentations déplorables, accablantes ! ô douleurs sans remède, ô maux enracinés dans ces demeures ! Ce ne sont point des coups lointains, des coups d'une main étrangère, c'est leur fureur mutuelle qui frappe à mort les Atrides. Voilà l'hymne des sanglantes déesses, l'hymne des Érinyes.

Vous, dieux des Enfers, entendez notre prière ; prêtez à ces enfants votre appui ! accordez-leur la victoire !

ORESTE

Mon père, toi qui mourus d'une mort indigne d'un roi, je t'invoque : donne-moi de régner sur ton palais.

ÉLECTRE

Et moi aussi, mon père, j'ai besoin comme lui de toi : il me faut éviter la mort ; il me la faut infliger, sûre et terrible, à Égisthe.

ORESTE

Alors les humains fonderont en ton honneur de solennels banquets. Si tu nous abandonnes, tu resteras sans gloire parmi les ombres comblées d'offrandes, dans les fêtes où s'allument les gras bûchers des morts.

ÉLECTRE

Et moi, pour libation d'hymen, je t'apporterai, de la maison paternelle, l'offrande de tout mon héritage : et toujours cette tombe sera le premier objet de mon culte.

ORESTE

Permets, ô Terre ! que mon père vienne être témoin du combat.

ÉLECTRE

Ô Perséphone ! donne-nous une force victorieuse.

ORESTE

Souviens-toi du bain où tu fus immolé, mon père !

ÉLECTRE

Souviens-toi du filet où ils t'ont tué !

ORESTE

Des entraves qui n'étaient pas d'airain t'avaient surpris, mon père !

ÉLECTRE

Oui, un piège honteux, un voile !

ORESTE

Au souvenir de tels outrages, te réveilles-tu, mon père ? [...] Entends nos vœux : c'est pour toi que nous gémissons ainsi ; et nous exaucer, c'est te sauver toi-même.

LE CORYPHÉE

Ah ! qui n'approuverait le langage de ces deux enfants ? Ne fallait-il pas à ce tombeau des honneurs, des pleurs à cette infortune que nul n'avait pleurée ? *(À Oreste.)* Toi donc, puisque ton cœur est résolu, frappe le coup, tente la fortune.

ORESTE

Oui ; mais il n'est pas hors de propos pour moi d'apprendre quelle raison, quel puissant motif l'a décidée à envoyer ces offrandes, tardive réparation d'un irréparable crime, misérables honneurs rendus à des ombres insensibles. Que peut-elle attendre de ces dons ? Je ne sais ; mais qu'ils sont loin d'atteindre à la hauteur du forfait ! Pour le sang d'un seul homme, versez toutes les libations du monde : vain travail ! Tel est mon avis. Mais contente mon désir ; si tu peux, instruis-moi.

LE CORYPHÉE

Je le puis, ô mon enfant, car j'étais près d'elle. C'est effrayée par des songes, par de sinistres fantômes errant dans la nuit, que la femme impie a envoyé ces offrandes.

ORESTE

Savez-vous aussi quel est ce songe ? pouvez-vous me renseigner à son sujet ?

LE CORYPHÉE

Il lui sembla, disait-elle, qu'elle avait enfanté un serpent.

ORESTE

Et la fin, le dénouement de la vision ?

LE CORYPHÉE

Le monstre nouveau-né était couché dans les langes, comme un enfant.

ORESTE

Quelle nourriture demandait-il, ce monstre nouveau-né ?

LE CORYPHÉE

D'elle-même, dans son rêve, elle lui présenta son sein.

ORESTE

Et comment le sein ne fut-il pas blessé par le monstre ? il dut l'être.

LE CORYPHÉE

Au point qu'avec le lait le monstre suça du sang.

ORESTE

Ce songe s'accomplira : c'est son époux qui l'a envoyé.

LE CORYPHÉE

Saisie d'effroi, elle s'éveille, elle crie. On s'empresse aux accents de la reine ; mille flambeaux rallument leur éclat éteint dans les ténèbres. Elle, bientôt après, envoie ces libations funéraires. Elle espère que ce remède la guérira de ses souffrances.

ORESTE

Terre natale, tombeau de mon père, faites, ah ! faites que par moi le songe s'accomplisse ! Il répond bien, si je puis en juger moi-même, à mon propre destin. Oui, le serpent est né dans le sein qui m'a conçu ; enveloppé de langes comme un enfant, il a présenté au sein qui m'a nourri sa gueule béante, il en a fait couler le sang avec le lait. De douleur, d'effroi, la mère a gémi. Ce monstre affreux qu'elle allaita, c'est le présage assuré de sa mort violente. Moi-même je serai le serpent : c'est moi qui la tuerai, son rêve le dit. Je te prends pour juge de l'interprétation du prodige.

LE CORYPHÉE

Puisse-t-il en arriver ainsi ! Mais explique à tes amis comment tu veux t'y prendre.

ORESTE

Un mot suffira. Électre va rentrer au palais ; les autres, il y en aura pour agir, et le reste se tiendra en repos. Mais ce que je recommande, c'est qu'on ne divulgue point le plan que j'ai conçu et que voici. C'est par la ruse qu'ils ont tué un héros ; c'est la ruse qui nous les livrera : qu'ils meurent pris dans le même piège que lui, ainsi que jadis l'a prédit Loxias, le puissant Apollon, le devin qui ne mentit jamais. Je prendrai le costume d'un étranger, je me chargerai du bagage complet d'un voyageur ; avec cet ami, avec Pylade, je me présenterai aux portes du palais, comme un hôte, comme un ami de guerre de la famille. Nous parlerons, Pylade et moi, la langue qu'on parle près du Parnasse ; nous imiterons l'accent de Phocide. Nul des gardiens de la porte ne nous fera, certes, un riant accueil, car le génie du mal règne dans cette demeure. Eh bien, nous resterons à la porte, nous attendrons que quelque passant nous aperçoive et leur dise : « Pourquoi repousser l'étranger qui demande asile ? Égisthe est pourtant ici, et il a dû être informé. » Et si je franchis le seuil de la porte ; si je trouve cet homme assis sur le trône de mon père, ou qu'il vienne à moi pour me parler face à face – oui, n'en doute pas – et pour m'examiner des yeux ; avant qu'il ait dit : « Étranger, d'où es-tu ? » il est mort ; le glaive rapide a prévenu sa fuite. Érinys voit encore abonder les meurtres ; ce sang qu'elle va boire, c'est la troisième coupe qu'elle aura remplie. Toi donc, Électre, veille bien à ce qui se passe dans le palais ; il faut que tout concoure à mes desseins. (*Au chœur.*) Vous, faites pour nous de sages vœux : sachez vous taire quand il faut, sachez parler à propos. Pylade aura l'œil sur le reste ; c'est lui qui m'assurera le succès dans cette lutte, où la main s'armera du glaive.

2
SOPHOCLE
ÉLECTRE
entre 418 et 414 avant J.-C.

L'action se passe à Mycènes, devant le palais royal d'Agamemnon.	**Personnages :** Électre, fille d'Agamemnon et de Clytemnestre Oreste, frère d'Électre Chrysothémis, sœur d'Électre Clytemnestre Égisthe, fils de Thyeste, roi usurpateur de l'Argolide Le précepteur d'Oreste Pylade, cousin d'Oreste (personnage muet) Un vieil esclave de la famille d'Agamemnon Un serviteur d'Oreste Le chœur, composé de jeunes Mycéniennes

Ne sont mentionnés ci-après que les personnages qui prennent la parole.

PROLOGUE vers 1-85 : Oreste, le précepteur	Oreste, son précepteur et son ami Pylade arrivent à Mycènes incognito. Sur l'ordre de l'oracle de Delphes, Oreste, élevé en Phocide, revient à Mycènes pour venger le meurtre de son père Agamemnon. Il veut faire croire à sa mort en disant qu'il apporte les cendres d'Oreste à sa mère.

vers 86-120 : Électre ➜	Arrivée d'Électre qui se lamente sur son sort.
PARODOS (entrée du chœur) vers 121-250 : le chœur, Électre	Plaintes alternées du chœur et d'Électre qui se remémore avec douleur la mort de son père.
PREMIER ÉPISODE vers 251-471 : le coryphée, Électre, Chrysothémis	Électre confie ses malheurs au chœur ; elle attend impatiemment le retour d'Oreste, réfugié en Phocide depuis le meurtre d'Agamemnon. ➜ Entrée en scène de Chrysothémis qui conseille à sa sœur de faire taire sa douleur. Dispute entre les deux sœurs. Électre envoie Chrysothémis faire des offrandes sur la tombe de leur père.
PREMIER STASIMON vers 472-515 : le chœur	Le chœur chante l'approche de l'Érinys vengeresse.
DEUXIÈME ÉPISODE ➜ vers 516-659 : Clytemnestre, Électre, le coryphée	Entrée en scène de Clytemnestre, violent face-à-face mère-fille. Clytemnestre prépare un sacrifice pour écarter les menaces d'un songe défavorable.
vers 659-868 : les mêmes, le précepteur, le coryphée, le chœur	Le précepteur arrive pour annoncer la prétendue mort d'Oreste, qui aurait été tué accidentellement dans une course de chars aux jeux de Delphes. Clytemnestre ne peut cacher son soulagement, car elle redoutait le retour vengeur de son fils. ➜ Électre, restée seule avec le chœur, pleure son frère.
vers 869-1057 : Chrysothémis, Électre, le coryphée	Chrysothémis revient annoncer à sa sœur qu'elle a trouvé une mèche d'Oreste sur la tombe de leur père. Électre lui annonce la mort d'Oreste et lui demande de l'aider à tuer Égisthe. Refus de Chrysothémis. Électre se prépare à agir seule.
DEUXIÈME STASIMON vers 1058-1097 : le chœur	Le chœur commente avec compassion la décision d'Électre.

TROISIÈME ÉPISODE vers 1098-1383 : Oreste, le coryphée, Électre le précepteur	Arrivent Oreste et Pylade qui semblant d'apporter les cendres d'Oreste. Oreste découvre sa sœur éplorée et finit par lui dévoiler son identité. Pathétique scène de retrouvailles entre le frère et la sœur. Le précepteur vient leur dire qu'il est temps d'agir.
TROISIÈME STASIMON vers 1384-1397 : le chœur	Le chœur annonce l'heure de la vengeance.
EXODOS vers 1398-1441 : Électre, le chœur, voix de Clytemnestre, Oreste	Pendant qu'Électre fait le guet devant la maison, Oreste tue Clytemnestre qui crie à l'intérieur du palais. Électre l'excite à frapper.
vers 1442-1510 : Égisthe, Électre, Oreste, le coryphée	Arrive Égisthe qui croit trouver le cadavre d'Oreste dont on lui a annoncé la mort. Il découvre sa méprise. Oreste le fait entrer dans le palais pour le tuer.

ÉLECTRE [1]

[...]

Lamentations d'Électre

ÉLECTRE

Lumière pure, air céleste étendu sur la surface de la terre, combien de fois avez-vous entendu mes plaintes lamentables et les coups dont je frappe mon sein ensanglanté, quand les ombres de la nuit sont dissipées ! Mais pendant la longue durée des nuits, ma triste couche, dans cette odieuse demeure, sait combien de pleurs je verse sur l'infortune de mon père, déplorable victime, non des

1. Traduction de Nicolas-Louis Artaud (revue, corrigée et annotée par A. Collognat), in *Tragédies de Sophocle*, Charpentier libraire-éditeur, 1845.

fureurs d'Arès sur une terre étrangère, mais de ma mère et de l'adultère Égisthe, qui tous deux l'ont frappé d'une hache meurtrière, comme le chêne qui tombe sous les coups du bûcheron. Et nul autre que moi, ô mon père, ne donne des larmes à ta mort si cruelle et si digne de pitié !

Mais jamais je ne cesserai de faire entendre mes gémissements et mes cris, tant que je verrai les astres brillants de la nuit, tant que je verrai la lumière du jour ; jamais je ne cesserai, comme le rossignol qui a perdu ses petits, de faire retentir mes accents plaintifs aux portes du palais de mon père. Sombre demeure d'Hadès et de Perséphone, Hermès Souterrain, terrible Némésis, et vous, filles des dieux, redoutables Érinyes, qui punissez le meurtre et l'adultère, venez, secourez-moi, vengez la mort de mon père, et envoyez-moi mon frère : car seule, je succombe sous le poids intolérable de ma douleur.

Entre le chœur.

LE CHŒUR

Fille d'une coupable mère, Électre, ne cesseras-tu d'exhaler ainsi des plaintes intarissables sur le sort de ton père, que la trahison d'une épouse impie a livré autrefois à une main criminelle ? Ah ! s'il m'est permis de former un tel souhait, périsse l'auteur de cet attentat !

ÉLECTRE

Nobles filles de Mycènes, vous venez consoler mes peines ; je le sais, et je connais votre tendresse ; mais je ne veux pas cesser de pleurer mon malheureux père. Ah ! je vous en conjure par cette amitié dont vous me donnez tant de preuves, laissez-moi me livrer à ma douleur.

LE CHŒUR

Ni les prières ni les larmes ne rappelleront ton père des sombres bords, commun asile des humains : mais en te livrant à une douleur éternelle et sans mesure, tu te consumes dans les larmes qui n'apportent aucun remède à la souffrance. Pourquoi désirer des maux intolérables ?

ÉLECTRE

Insensé qui peut oublier la mort funeste de ceux dont il reçut le jour ! mon cœur se complaît aux gémissements de l'oiseau plaintif, messager de Zeus, qui pleure Itys, son cher Itys ! Ô Niobé, la plus malheureuse des femmes, je t'honore à l'égal des dieux, toi dont le marbre distille éternellement des pleurs !

LE CHŒUR

Tu n'es point seule à souffrir, ma fille ; dans ta douleur excessive, tu vas au-delà de ceux qui te sont liés par le sang, comme Chrysothémis, Iphianassa[1], et ce jeune homme qui grandit dans le silence et la douleur, mais qui, fier des droits de sa naissance, rentrera un jour dans la glorieuse Mycènes, sous les auspices de Zeus, Oreste enfin !

ÉLECTRE

Oreste, je ne me lasse pas de l'attendre ; malheureuse, sans enfants, sans époux, j'erre çà et là, toujours baignée de larmes, en proie à ces misères interminables ; et lui, il oublie mes bienfaits et mes instances. Quels messages n'ont pas trompé mon attente ! Toujours il désire revenir, et malgré ses désirs, il ne reparaît pas.

LE CHŒUR

Aie confiance, ma fille, aie confiance : Zeus, qui règne au haut des cieux, voit et gouverne tout. Remets-lui ton ressentiment et tes douleurs, et ne montre à tes ennemis ni trop d'emportement, ni trop d'indifférence. Le Temps est un dieu qui rend tout facile. Ce fils d'Agamemnon, élevé sur les rivages fertiles de Crisa, ne peut manquer de venir à ton aide, ainsi que le dieu qui règne sur les bords de l'Achéron.

ÉLECTRE

Déjà la plus grande partie de mes jours s'est écoulée dans le désespoir ; je n'y puis plus résister ; je languis, sans parents, sans l'appui d'aucun ami ; comme une humble étrangère, je remplis des fonctions d'esclave dans la maison de mon père, couverte de ces vils habits, à peine nourrie de pauvres aliments !

1. C'est ainsi qu'Homère nomme Iphigénie.

LE CHŒUR

Quels cris lamentables à son retour, quels cris lamentables sur le lit du festin où ton père prit place, quand retentit le coup de la hache d'airain dont il fut frappé ! La perfidie conseilla le crime, l'amour l'exécuta : horrible enfantement d'un complot horrible, soit qu'un dieu, soit qu'un mortel en fût l'auteur !

ÉLECTRE

Ô jour, le plus affreux de ma vie ! ô nuit funeste ! festin exécrable, où mon père se vit indignement frappé par deux mains criminelles ! Le même coup m'a livrée à mes ennemis, et m'a ôté la vie. Que le dieu de l'Olympe leur envoie un châtiment digne de leur forfait ! Puissent les auteurs de ce crime ne jamais connaître la joie ! [...] J'ai honte de me laisser emporter devant vous à l'excès de ma douleur ; mais pardonnez, un sentiment invincible m'y contraint. Et quelle fille bien née ne pleurerait comme moi, en voyant les maux de sa famille croître et grandir nuit et jour ? C'est peu que les malheurs les plus affreux me soient venus de ma mère ; dans mon propre palais j'habite avec les assassins de mon père, je suis dans leur dépendance, et leur caprice m'accorde ou me refuse le nécessaire. Quelle doit être ma triste vie, quand je vois Égisthe assis sur le trône de mon père, revêtu des mêmes ornements, verser ses libations sur le foyer domestique où il l'a égorgé, et, pour dernier outrage, entrer dans le lit d'Agamemnon avec ma misérable mère ; si je dois encore appeler de ce nom celle qui partage sa couche avec le meurtrier de son époux ! Elle ose habiter avec l'assassin sans redouter la vengeance divine ; que dis-je ? triomphante de son forfait, quand revient le jour où mon père tomba sous ses coups perfides, elle le célèbre par des danses, et chaque mois elle sacrifie aux dieux sauveurs ! Et moi, témoin de ces horreurs, je gémis, je languis dans l'affliction, je maudis en secret le festin sanguinaire qu'ils osent appeler festin d'Agamemnon. Et encore ne m'est-il pas permis de donner un libre cours à ma douleur ; aussitôt cette femme courageuse en paroles me crie injurieusement : « Juste objet de la haine des dieux, as-tu donc seule perdu un père ? nul autre mortel n'a-t-il connu le deuil ? Puisses-tu périr de douleur ! puissent les divinités infernales ne te délivrer jamais de tes lamentations ! » Tels sont ses outrages. Mais si elle entend parler du retour d'Oreste, alors éperdue, furieuse, elle s'écrie : « C'est toi qui causes tous ces maux ! N'est-ce pas là ton ouvrage ? n'est-ce pas toi qui, dérobant Oreste à mes mains, l'as fait échapper secrètement ? Mais sache-le, ton châtiment se prépare. » Ainsi s'exhale sa rage ; et près d'elle se tient, pour l'animer encore, cet illustre époux, ce lâche, cet opprobre du monde, qui s'entoure de femmes pour combattre. Cependant je me consume à attendre qu'Oreste vienne mettre fin à tant de maux ; ses éternels délais ruinent chaque jour mes espérances. Ô mes amies, dans de telles infortunes, il est bien difficile de conserver la modération ou le respect des dieux : le malheur force à être méchant.

[...]

Face à face entre les deux sœurs

CHRYSOTHÉMIS

Quoi ! ma sœur, tu fais encore retentir de tes cris le vestibule de ce palais ? et le temps n'a pu t'apprendre à retenir ces inutiles transports ! Je sais aussi ce que je souffre, et, si j'avais assez de forces, je ferais voir quels sont mes sentiments pour eux. Mais dans notre triste position, il faut marcher avec prudence, et ne pas avoir l'air d'agir pour leur faire aucun mal. Je voudrais que tu suivisses mon exemple ; cependant la justice est bien plus dans ton opinion que dans la mienne ; mais, pour conserver ma liberté, je dois obéir à ceux qui sont les maîtres.

ÉLECTRE

Quelle indignité, que la fille d'Agamemnon oublie son père pour prendre le parti de sa mère ! Car enfin, ces conseils que tu me donnes t'ont été suggérés par elle, ce langage n'est pas de toi. Avoue-le ; ou tu as perdu le sens, ou tu oublies volontairement tes amis. Tu disais tout à l'heure que si tu avais assez de forces, tu montrerais la haine que tu as pour eux : et quand je fais tout pour venger mon père, loin de seconder mes projets, tu m'en détournes. Cette conduite, outre qu'elle est coupable, ne prouve-t-elle pas la lâcheté ? Dis-moi, ou plutôt écoute ce que je gagnerais à sécher mes pleurs. Ai-je cessé de vivre ? Je vis misérablement sans doute, mais assez pour moi : je les importune, et par là j'honore l'ombre d'un père, s'il est encore quelque sensibilité chez les morts. Toi qui te vantes de haïr ces assassins, tu les hais en paroles ; tu es en réalité d'intelligence avec eux. Pour moi, dût-on m'offrir tous les biens dans lesquels tu te complais, jamais je ne me soumettrai à eux : toi, jouis d'une table somptueuse et des délices de la vie ; il me suffit de ne pas me créer moi-même de tourment. Je suis peu jalouse de tes honneurs : tu ne le serais pas plus si tu étais sage. Quitte, si tu veux, le nom glorieux du meilleur des pères, pour prendre celui de ta mère : tu montreras ainsi que tu as trahi ton père et tes amis.

LE CORYPHÉE

Au nom des dieux, ne t'emporte point ; vos conseils mutuels peuvent profiter à l'une et à l'autre, si tu veux user des siens et elle des tiens.

CHRYSOTHÉMIS

Je suis accoutumée à son langage ; je n'aurais pas même parlé, si je ne savais qu'elle est menacée d'un malheur horrible, qui mettra fin à ses plaintes éternelles.

ÉLECTRE

Et quel est ce malheur effrayant ? Si tu peux m'annoncer rien de pis que ce que je vois, je ne te contredirai plus.

CHRYSOTHÉMIS

Eh bien, je te dirai tout ce que je sais. Ils ont résolu, si tu ne modères tes regrets, de t'envoyer en des lieux où tu ne verras plus la lumière du jour, et de t'ensevelir vivante dans une sombre caverne, loin d'ici, et où tu pourras déplorer tes malheurs. Songes-y, ma sœur, et ne va pas ensuite m'imputer ton infortune. Il est temps de prendre un sage conseil. [...]

ÉLECTRE

Ne me conseille pas de trahir la tendresse.

CHRYSOTHÉMIS

Non, mais de céder à ceux qui sont les maîtres.

ÉLECTRE

Humilie-toi ainsi, ce n'est pas là mon caractère.

CHRYSOTHÉMIS

Cependant il est beau, du moins, de ne pas périr par sa faute.

ÉLECTRE

Périssons, s'il le faut, et vengeons un père.

CHRYSOTHÉMIS

Notre père lui-même excuserait notre conduite.

ÉLECTRE

Ce langage ne peut plaire qu'à des lâches.

CHRYSOTHÉMIS

Tu ne veux donc pas écouter mon avis ?

ÉLECTRE

Non certes ; je ne suis pas encore si vide de sens.
[...]

Face à face entre la mère et la fille

CLYTEMNESTRE

Tu sors assez librement de ce palais, à ce qu'il me semble ; c'est qu'Égisthe est absent, lui qui t'empêche de sortir et de compromettre l'honneur de la famille. Aujourd'hui qu'il est absent, tu abjures tout respect pour moi ; je n'ignore pas les bruits que tu répands ; je suis, à t'entendre, une mère impérieuse, injuste, qui se plaît à te maltraiter toi et les tiens. Cependant mon cœur n'est pas porté à l'injure, et je ne fais que répondre aux attaques que tu lances contre moi. J'ai tué ton père, dis-tu, car voilà l'unique prétexte de tes querelles : il est vrai ; et pourquoi le nierais-je ? La Justice elle-même l'a sacrifié par mes mains ; avec un esprit plus sage, tu aurais dû me prêter ton secours. Car enfin, ce père que tu pleures toujours a, seul de tous les Grecs, osé immoler aux dieux ta propre sœur [1] ; il ignorait ce que l'enfantement coûte à une mère. En effet, dis-moi pour qui il l'a sacrifiée ? Pour les Grecs ? ils n'avaient pas le droit de répandre mon sang. Pour son frère Ménélas ? mais alors le meurtre des miens devait-il demeurer impuni ? Ménélas lui-même n'avait-il pas des enfants qui auraient dû bien plutôt mourir, étant nés de ceux mêmes pour qui l'on faisait cette guerre ? Hadès était-il donc plus avide de mes enfants que des siens ? ou ce père cruel, indifférent pour les enfants issus de mon sein, n'avait-il d'amour que pour ceux de Ménélas ? N'est-ce pas là le cœur d'un père dénaturé ? Je le pense, bien que tu sois d'un autre avis que moi ; ainsi parlerait celle qu'il a sacrifiée, si elle pouvait renaître. Je ne me repens donc pas de ce que j'ai fait : si, malgré mes justes raisons, tu crois que j'ai tort, accuse ta mère.

ÉLECTRE

Tu ne diras pas cette fois que tu ne fais que répondre à mes provocations amères. Si tu me le permets, je te parlerai comme il convient, au sujet de mon père et de ma sœur.

CLYTEMNESTRE

Tu le peux ; si tu avais toujours tenu ce langage, tu ne m'aurais pas donné tant de déplaisirs.

ÉLECTRE

Je te parlerai donc. Tu avoues avoir tué mon père. Que ç'ait été justement ou non, peut-on rien dire de plus horrible ? Mais je le dis, tu l'as fait contre toute justice, et entraînée par les conseils de ce traître, qui est aujourd'hui ton époux. Demande à Artémis chasseresse par quelle vengeance elle enchaîna les vents en Aulide ; ou plutôt je

1. Voir le sacrifice d'Iphigénie (p. 174).

te le dirai pour elle. Mon père, errant un jour dans un bois consacré à Artémis, fit partir un cerf remarquable par sa ramure, et, l'ayant percé, il laissa échapper quelques paroles superbes. Dès lors, la fille de Latone irritée retint nos vaisseaux dans le port, jusqu'à ce que mon père eût immolé sa fille en échange. Ainsi périt Iphigénie ; il ne restait plus d'autre moyen de rouvrir à l'armée le chemin de la Grèce ou d'Ilion. Après avoir longtemps résisté, il céda à la contrainte, et l'immola à la cause des Grecs, et non à Ménélas. Mais je suppose, comme tu le dis, qu'il ait voulu servir un frère ; devait-il pour cela périr de tes mains ? De quel droit ? Prends garde qu'en établissant une telle loi parmi les hommes, tu ne prononces toi-même ton arrêt. Si le meurtre appelle un autre meurtre, tu mérites d'être la première victime. N'allègue pas d'excuse frivole. Dis-moi, je te prie, ce qui te force aujourd'hui à te couvrir de honte, à partager ton lit avec l'infâme complice du meurtre de mon père, et à avoir de lui des enfants, pour chasser les enfants légitimes de ton légitime hymen. Pourrais-je approuver une telle conduite ? Diras-tu que par là tu venges la mort d'une fille ? Tu ne saurais le dire sans honte : l'intérêt d'une fille n'autorise pas à épouser un ennemi. Mais on ne saurait te conseiller, sans que tu ne cries aussitôt que nous insultons notre mère. Cependant, je trouve en toi une maîtresse bien plutôt qu'une mère, moi qui passe ma malheureuse vie dans les souffrances dont vous m'accablez toi et ton complice. Et cet autre enfant, à grand-peine sauvé de la fureur, l'infortuné Oreste, traîne loin d'ici des jours déplorables. Tu m'as reproché souvent de le nourrir pour être mon vengeur : sois-en certaine, si j'avais assez de forces, je l'aurais déjà prévenu. Maintenant publie partout que je suis cruelle, insolente, inflexible : si j'ai ces défauts en partage, je ne démens pas le sang que j'ai reçu de toi.

LE CORYPHÉE

Je la vois exhaler sa colère ; mais si la justice est pour elle, je ne vois pas qu'on s'en inquiète.

CLYTEMNESTRE

Et pourquoi m'inquiéterais-je de celle qui outrage ainsi sa mère, et cela à son âge ? Ne voyez-vous pas qu'elle en est venue à tout oser, sans rougir de rien ?

ÉLECTRE

Sache-le pourtant, je rougis de ces emportements, bien que tu penses le contraire ; je sais qu'ils ne conviennent ni à mon âge ni à ma personne. Mais tu m'y contrains par ta haine et par ta conduite. Les mauvais exemples produisent les mauvaises actions.

CLYTEMNESTRE

Impudente créature, c'est donc moi, ce sont mes paroles et mes actions qui produisent les excès de tes propos !

ÉLECTRE

C'est toi qui les dis, et non moi ; car tu agis, et les actions engendrent les paroles.

CLYTEMNESTRE

J'en jure par Artémis, tu n'échapperas pas au châtiment que mérite ton audace, lorsque Égisthe sera de retour.

ÉLECTRE

Tu le vois ; tu t'emportes après m'avoir permis de tout dire ; tu ne saurais m'entendre.

CLYTEMNESTRE

Quoi ! parce que je t'ai permis de tout dire, tu troubleras mon sacrifice par tes clameurs funestes ?

ÉLECTRE

Offre ce sacrifice, j'y consens, je le désire : tu ne te plaindras plus de mes discours, je ne dirai plus rien.

[...]

La douleur d'Électre

ÉLECTRE

L'avez-vous vue, comme une mère affligée, désespérée, verser des larmes et se lamenter sur la fin déplorable de son fils, la misérable ? elle s'est retirée avec un rire insultant. Ô malheureuse Électre ! ô frère chéri ! que la mort m'est fatale ! Elle a arraché de mon cœur le seul espoir que j'y gardais, de te voir apparaître un jour pour venger mon père et moi-même. Maintenant, où dois-je aller ? je suis seule, privée de mon père et de toi. Il me faudra être esclave au milieu de mes plus cruels ennemis et des meurtriers de mon père. N'est-ce pas là un sort bien heureux ? Non, je ne resterai plus avec eux sous le même toit ; sans amis, abandonnée de moi-même, je me consumerai de douleur à la porte de ce palais. Si mes larmes importunent quelqu'un de ceux qui l'habitent, qu'il me tue ; mourir me sera doux, vivre m'est un supplice ; je ne regretterai point la vie.

LE CHŒUR

Où sont les foudres de Zeus, où est la lumière du soleil, si, témoins de tant d'horreurs, ils restent inactifs et indifférents ?

[...]

Électre retrouve son frère

ORESTE

Femmes, dites-moi, nous a-t-on donné des indications exactes ? Sommes-nous en effet au lieu que nous cherchons ?

LE CORYPHÉE

Que demandes-tu ? que viens-tu chercher ?

ORESTE

Je cherche où habite Égisthe.

LE CHŒUR

C'est bien ici, on ne t'a pas trompé.

ORESTE

Qui de vous pourrait donc annoncer dans ce palais notre arrivée désirée ?

LE CHŒUR

Celle-ci [1], si le message doit être porté par un des proches.

ORESTE

Entre donc, ô femme, et dis que des hommes arrivés de la Phocide demandent Égisthe.

ÉLECTRE

Ah ! dieux ! venez-vous confirmer la triste nouvelle que nous avons reçue ?

ORESTE

J'ignore le fait dont tu parles ; le vieillard Strophios m'envoie porter des nouvelles d'Oreste.

ÉLECTRE

Qu'y a-t-il, étranger ? la frayeur me glace.

ORESTE

Nous apportons, comme tu le vois, ses tristes restes dans cette urne légère.

ÉLECTRE

Hélas ! il n'est donc que trop vrai ! J'ai mon malheur devant les yeux.

ORESTE

Si tu pleures sur le malheur d'Oreste, sache que cette urne contient son corps.

ÉLECTRE

Ô étranger, au nom des dieux, permets-moi de prendre en mes mains ce vase qui le renferme, afin que je pleure sur sa cendre mes infortunes et celles de toute ma race.

ORESTE

Approchez, donnez-lui cette urne ; quelle qu'elle soit, elle ne la demande pas dans un esprit de haine, elle lui était sans doute unie par l'amitié ou par les liens du sang.

1. Le chœur désigne Électre.

ÉLECTRE

Monument du plus chéri des hommes, uniques restes de mon frère, combien me voilà loin des espérances que je fondais sur toi, quand je t'envoyai loin de ce palais ! Je ne tiens aujourd'hui que tes cendres ; alors je t'envoyai plein de vie. Ah ! que n'ai-je succombé avant de te faire passer sur une terre étrangère, et de te dérober de mes mains au carnage ! En mourant le même jour, tu aurais partagé le tombeau d'un père. Mais tu es mort tristement, hors de ta patrie, sur une terre d'exil, loin de ta sœur ; et mes mains n'ont pu ni laver ton cadavre, ni enlever du bûcher ton précieux fardeau ; infortuné ! des mains étrangères t'ont rendu ce pieux devoir, et quand tu reviens dans les miennes, tu n'es plus qu'un poids léger dans une urne légère. Inutiles soins que je prodiguai souvent à ton enfance avec un plaisir si doux ! car jamais tu ne fus plus cher à ta mère qu'à moi-même ; je ne m'en reposais pas sur d'autres, seule j'étais ta nourrice ; le nom de ta sœur était sans cesse invoqué par toi. Tout cela s'est évanoui avec le jour qui t'a vu périr. Tu as passé sur nous comme la tempête. J'ai perdu mon père ; je suis morte pour toi ; toi-même tu n'es plus. Cependant nos ennemis triomphent, et elle s'enivre d'allégresse, cette mère dénaturée, dont tu me promis tant de fois par de secrets messages de punir les forfaits. Le cruel génie qui présidait à tes jours et aux miens a détruit nos projets, et ne m'a rendu, au lieu d'un être chéri, qu'un peu de poussière et une ombre vaine. Hélas ! hélas ! tristes dépouilles ! fatal voyage ! frère bien-aimé ! tête si chère ! tu m'as perdue ; oui, c'en est fait de moi. Reçois-moi dans ce sombre asile ; je ne suis aussi qu'un fantôme, j'habiterai avec toi les Enfers. Tant que tu fus sur la terre, je partageai ta destinée ; maintenant je désire partager ta tombe, et mourir. Je ne vois pas que les morts aient encore à souffrir.

LE CORYPHÉE

Songe, Électre, que tu es née d'un père mortel ; Oreste l'était aussi ; modère donc tes regrets. Le même sort attend tous les humains.

ORESTE

Ciel ! que dire ? quel est mon embarras ! Je ne puis plus retenir mes paroles.

ÉLECTRE

Quelle douleur te saisit ! que signifie ce langage ?

ORESTE

Serais-tu donc cette glorieuse Électre ?

ÉLECTRE

C'est elle-même, mais en quel état déplorable !

ORESTE

Ô cruelle infortune !

ÉLECTRE

Étranger, qui te fait gémir ainsi sur moi ?

ORESTE

Ô beauté indignement flétrie !

ÉLECTRE

Oui, c'est bien sur moi-même que s'exhalent tes regrets !

ORESTE

Vie de stérilité et de misère !

ÉLECTRE

Pourquoi jettes-tu sur moi ces regards de tristesse ?

ORESTE

Je ne connaissais encore rien de mes malheurs.

ÉLECTRE

En quoi les as-tu connus dans mes paroles ?

ORESTE

En te voyant parée de tes souffrances.

ÉLECTRE

Tu ne vois que la moindre partie de mes maux.

ORESTE

Et comment serait-il possible d'en voir de plus cruels ?

ÉLECTRE

Je suis forcée de vivre avec des meurtriers.

ORESTE

De qui ? Quels sont les auteurs du crime dont tu parles ?

ÉLECTRE

Ceux de mon père : je suis contrainte d'être leur esclave.

ORESTE

Et quel mortel te réduit à cette extrémité ?

ÉLECTRE

On l'appelle ma mère, mais elle n'a rien d'une mère.

ORESTE

Que fait-elle ? emploie-t-elle la violence ou la faim ?

ÉLECTRE

La violence et la faim, et toutes les cruautés.

ORESTE

Et tu n'as personne qui te défende, qui arrête sa fureur ?

ÉLECTRE

Personne ; mon unique défenseur n'est plus, tu m'apportes ses cendres.

ORESTE

Infortunée ! que ton aspect excite ma pitié !

ÉLECTRE

Tu es le seul mortel dont j'aie jamais connu la pitié.

ORESTE

C'est que je suis le seul qui souffre de tes maux.

ÉLECTRE

Serais-tu donc quelqu'un de mes proches ?

ORESTE

Je m'expliquerai, si tes compagnes te sont dévouées.

ÉLECTRE

Elles le sont ; tu peux compter sur leur fidélité.

ORESTE

Laisse d'abord cette urne, si tu veux tout savoir.

ÉLECTRE

Au nom des dieux, étranger, ne me l'arrache pas.

ORESTE

Fais ce que je te dis, tu ne t'en repentiras point.

ÉLECTRE

Par ce visage que je touche, ne m'enlève pas un dépôt si cher.

ORESTE

Je ne souffrirai pas que tu le gardes plus longtemps.

ÉLECTRE

Cher Oreste, quelle est ma misère, si je suis privée de tes cendres !

ORESTE

Parle mieux : tu t'affliges à tort.

ÉLECTRE

Je m'afflige à tort de la mort d'un frère ?

ORESTE

Il ne te convient pas de dire de telles paroles.

ÉLECTRE

Suis-je donc si indigne de lui ?

ORESTE

Non, vraiment ; mais cette urne n'est rien pour toi.

ÉLECTRE

Eh quoi ! n'est-ce pas les cendres d'Oreste que je tiens ?

ORESTE

Non, les cendres d'Oreste ne sont là qu'en paroles.

ÉLECTRE

Où donc est le tombeau de cet infortuné ?

ORESTE

Nulle part, il n'est point de tombeau pour ceux qui sont pleins de vie.

ÉLECTRE

Que dis-tu, cher enfant ?

ORESTE

Rien qui ne soit véritable.

ÉLECTRE

Il vivrait ?

ORESTE

Oui, puisque je respire.

ÉLECTRE

C'est donc toi ?

ORESTE

Vois ce sceau de mon père, et reconnais si je dis vrai.

ÉLECTRE

Jour de bonheur !

ORESTE

Bonheur que je partage.

ÉLECTRE

Ô douce voix ! te voilà donc enfin !

ORESTE

Oui, c'est bien moi.

ÉLECTRE

Je te serre dans mes bras.

ORESTE

Que ce soit pour jamais.

ÉLECTRE

Chères compagnes, femmes de ce pays, voyez cet Oreste, qu'une feinte mort m'avait enlevé, et qu'elle me rend aujourd'hui.

LE CHŒUR

Nous le voyons, ô ma fille, et cet heureux événement fait couler de nos yeux des larmes de joie.

ÉLECTRE

Rejeton d'un père chéri, te voilà enfin venu ! tu retrouves, tu revois ceux que tu désirais !

ORESTE

Je suis près de toi ; mais garde le silence, et attends.

ÉLECTRE

Qu'y a-t-il ?

ORESTE

Il vaut mieux se taire, de peur d'être entendu de ce palais. [...]

ÉLECTRE

Ô toi qui, après une si longue attente, as entrepris ce voyage qui t'a rendu à mes vœux, ne va pas, quand tu me retrouves dans les larmes...

ORESTE

Que veux-tu de moi ?

ÉLECTRE

Ne va pas m'interdire la joie de ta présence.

ORESTE

Non certes ; je m'indignerais que d'autres voulussent t'en priver.

ÉLECTRE

Tu y consens donc ?

ORESTE

Pourrais-je m'en défendre ?

ÉLECTRE

Mes amies, j'ai entendu cette voix que je n'espérais plus entendre. À la fatale nouvelle, je comprimai ma colère, et j'étouffai mes cris. Mais enfin, cher Oreste, je te possède ; tu m'es apparu avec un heureux aspect, que les plus grands malheurs ne pourraient me faire oublier.

ORESTE

Laisse les discours superflus ; ne me parle point de la cruauté de ma mère, de la dissipation de nos richesses, des prodigalités d'Égisthe ; l'occasion se perdrait durant ces vains propos. Mais donne-moi les détails nécessaires en cette conjoncture ; dis en quels lieux nous devons apparaître ou nous cacher, pour mettre fin aux rires de nos ennemis. Prends garde que ta mère ne devine quelque chose à la gaieté de ton visage, à notre entrée dans le palais ; aie plutôt l'air de pleurer ma mort prétendue. Après le succès, nous pourrons librement rire et nous livrer à la joie.

ÉLECTRE

Ô mon frère, ta volonté sera la mienne : c'est de toi seul que je reçois mon bonheur ; et je ne voudrais pas te causer le moindre chagrin, quelque avantage qu'il dût m'en revenir ; ce serait mal servir le dieu qui nous protège. Tu sais ce qui se passe en ce palais ; Égisthe en est absent, il n'y reste que ma mère ; et ne crains pas qu'elle surprenne sur mes lèvres un sourire de gaieté ; ma haine est trop profondément enracinée ; d'ailleurs, depuis que je t'ai revu, je ne cesse de verser des larmes de joie. Comment pourrais-je les retenir, quand, en un même jour, je t'ai vu passer de la mort à la vie ? Oui, après des événements si inattendus, si mon père renaissait tout à coup, ce ne serait plus un prodige pour moi, j'en croirais aussitôt mes yeux. Puisque tu as déjà fait cet heureux trajet, dirige toi-même l'entreprise à ton gré ; pour moi, si j'avais été seule, j'aurais pris l'un de ces deux partis, ou de me délivrer avec honneur, ou de périr avec gloire.

ORESTE

Silence : j'entends quelqu'un sortir du palais.

ÉLECTRE

Entrez, ô étrangers ; ce que vous apportez ne saurait être ni rejeté ni reçu avec joie.

[...]

La vengeance

ÉLECTRE

Chères compagnes, dans un moment ils vont accomplir leur dessein ; attendons en silence.

LE CORYPHÉE

Comment ? que font-ils maintenant ?

ÉLECTRE

Tandis qu'elle prépare le festin des funérailles [1], ils se tiennent auprès d'elle.

LE CORYPHÉE

Pourquoi es-tu sortie du palais ?

ÉLECTRE

Pour empêcher qu'Égisthe ne nous surprenne par un retour imprévu.

VOIX DE CLYTEMNESTRE, *dans l'intérieur du palais.*

Hélas ! hélas ! le palais est vide d'amis et rempli d'assassins.

ÉLECTRE

On crie là-dedans : n'entendez-vous pas ?

LE CHŒUR

J'entends des choses inouïes, et j'en frémis d'horreur.

VOIX DE CLYTEMNESTRE

Malheur à moi ! Égisthe, où es-tu ?

ÉLECTRE

Entends-tu ? les cris redoublent.

1. Le banquet funèbre en l'honneur d'Oreste.

VOIX DE CLYTEMNESTRE

Mon fils ! ô mon fils ! aie pitié de ta mère !

ÉLECTRE

Tu n'as pas eu pitié de lui ni de son père.

LE CHŒUR

Ô ville ! ô race déplorable ! aujourd'hui le destin achève ta ruine.

VOIX DE CLYTEMNESTRE

Dieux ! je suis frappée !

ÉLECTRE

Frappe, redouble les coups.

VOIX DE CLYTEMNESTRE

Encore un coup ! ô dieux !

ÉLECTRE

Ah ! si le même coup pouvait frapper Égisthe !

LE CHŒUR

Les imprécations s'accomplissent. Les morts renaissent à la vie ; ils sortent du tombeau pour répandre à leur tour le sang de leurs meurtriers. Les voici qui paraissent ; leurs mains dégouttent encore du sang qu'ils ont versé au dieu Arès. Je ne sais que dire.

Entrent Oreste et Pylade

ÉLECTRE

Oreste, où en sont les choses ?

ORESTE

Dans le palais tout va bien, si l'oracle d'Apollon ne nous a pas trompés. La malheureuse est morte ; tu n'as plus à redouter les outrages de ta mère.

LE CORYPHÉE

Silence, je vois paraître Égisthe.

ÉLECTRE

Ah ! mes amis, rentrez.

ORESTE

Le voyez-vous s'avancer vers nous ?

ÉLECTRE

Il revient à la ville plein de joie.

LE CHŒUR

Retirez-vous promptement sous le vestibule. Un premier effort vous a réussi, qu'il en soit de même du second.

ORESTE

Aie confiance ; nous réussirons comme tu le désires.

ÉLECTRE

Hâte-toi.

ORESTE

Je me retire.

ÉLECTRE

Ici je veillerai à tout.

LE CHŒUR

Il serait bon de lui insinuer quelques douces paroles, pour le faire plus aisément tomber dans les pièges dressés par la vengeance.

ÉGISTHE

Qui de vous sait où sont ces étrangers de Phocide qui, dit-on, nous apportent la nouvelle de la mort d'Oreste, écrasé dans un combat de chars ? C'est toi surtout que j'interroge, toi, toi-même qui jusqu'à ce jour montrais tant d'audace : cet événement t'intéresse trop pour que tu n'en sois pas bien instruite.

ÉLECTRE

Je le sais en effet. Pourrais-je ignorer le sort des miens, qui me touche de si près ?

ÉGISTHE

Où sont donc ces étrangers ? Parle.

ÉLECTRE

Ils sont dans le palais. Ils y ont trouvé un bon accueil.

ÉGISTHE

Ont-ils annoncé sa mort comme bien certaine ?

ÉLECTRE

Ils l'ont bien prouvée, et pas seulement par des paroles.

ÉGISTHE

En avons-nous des preuves évidentes ?

ÉLECTRE

Nous en avons, et le spectacle en est assez déplorable.

ÉGISTHE

Tu me combles de joie, et ce n'est pas ton habitude.

ÉLECTRE

Va goûter ce plaisir, s'il te paraît si doux.

ÉGISTHE

Qu'on fasse silence, et qu'on ouvre les portes à tout le peuple de Mycènes et d'Argos, afin que, si quelqu'un fondait encore de frivoles espérances sur le retour d'Oreste, il apprenne, en voyant son cadavre [1], à subir le joug et à revenir de lui-même à de plus sages pensées, sans y être contraint par la force ou les châtiments.

ÉLECTRE

Pour moi, de ce moment je suis résignée : le temps m'a appris à céder prudemment aux plus forts.

ÉGISTHE

Ô Zeus ! si je puis le dire sans offenser les dieux, je vois le plus heureux spectacle ; mais s'ils s'en irritent, je rétracte ces paroles. Écartez ces voiles qui le couvrent ; la parenté qui nous unissait lui donne droit à mes larmes.

ORESTE

Lève toi-même ce voile : c'est à toi, non à moi, de contempler ces restes, et de leur adresser des paroles amies.

1. Trompé par les paroles d'Électre, Égisthe pense voir le cadavre d'Oreste.

ÉGISTHE

Ton avis est raisonnable, et je le suivrai : qu'on appelle Clytemnestre, si elle est dans le palais.

ORESTE

La voici près de toi, ne cherche point ailleurs.

ÉGISTHE, *dévoilant le corps.*

Que vois-je !

ORESTE

Qui crains-tu ? ne reconnais-tu pas ?

ÉGISTHE

Malheureux ! dans quels pièges suis-je tombé !

ORESTE

Ne vois-tu pas que tu adresses à des vivants ce que tu croyais dire à des morts ?

ÉGISTHE

Je comprends ; ce ne peut être qu'Oreste qui me parle.

ORESTE

Tout bon devin que tu sois, tu étais dans l'erreur.

ÉGISTHE

Ah ! je suis perdu ; mais souffre que je te dise quelques paroles.

ÉLECTRE

Au nom des dieux, mon frère, ne le laisse point parler, ni prolonger un entretien superflu. Quand tous les hommes sont voués au malheur, que sert à celui qui doit mourir le délai de quelques moments ? Frappe-le sur-le-champ, et loin de nos yeux abandonne son cadavre aux fossoyeurs qui lui conviennent. C'est là l'unique soulagement de mes longues douleurs.

ORESTE

Entre au plus tôt ; il n'est plus question de parler, mais de mourir.

ÉGISTHE

Pourquoi dans l'intérieur de ce palais ? Si ton action est belle, qu'as-tu besoin des ténèbres ? Que ne frappes-tu à l'instant ?

ORESTE

Ne parle plus en maître ; viens à l'endroit où tu as tué mon père, c'est là que tu dois mourir.

ÉGISTHE

Il faut donc que ce palais soit le témoin des maux présents des Pélopides, et de ceux qui les attendent dans l'avenir ?

ORESTE

Il le sera du moins de ta mort ; voilà ce que je te prédis à coup sûr.

ÉGISTHE

Ce n'est pas de ton père que tu tiens cet art dont tu te vantes ?

ORESTE

Voilà bien des paroles ; c'est trop de retards ; marche.

ÉGISTHE

Conduis-moi.

ORESTE

Marche devant.

ÉGISTHE

Crains-tu que je ne t'échappe ?

ORESTE

Non, mais je veux t'enlever toute consolation dans la mort, et t'en laisser toute l'amertume. Ainsi devrait périr sur-le-champ quiconque ose violer les lois ; les crimes seraient moins nombreux.

LE CORYPHÉE

Ô race d'Atrée ! que de maux tu as soufferts avant que ce coup hardi t'ait rendu enfin la liberté !

Fin de la pièce

3
EURIPIDE
ÉLECTRE
413 avant J.-C.

L'action se passe dans la campagne d'Argos, devant la maison d'un pauvre laboureur. Il fait encore nuit.	**Personnages :** Un laboureur du pays d'Argos Électre, fille d'Agamemnon et de Clytemnestre Oreste, frère d'Électre Pylade, cousin d'Oreste Un vieil esclave de la famille d'Agamemnon Un serviteur d'Oreste Clytemnestre Les Dioscures, Castor et Pollux Le chœur, composé de femmes argiennes

Ne sont mentionnés ci-après que les personnages qui prennent la parole.

PROLOGUE ➜ vers 1-54 : monologue du laboureur	Résumé de la situation par le laboureur : retour et mort d'Agamemnon assassiné par Égisthe et Clytemnestre ; Oreste réfugié en Phocide ; Électre mariée au paysan sur l'ordre d'Égisthe pour que sa descendance ne puisse revendiquer le trône d'Argos.
vers 55-166 : Électre, le laboureur, Oreste	Électre sort de la maison pour aller puiser de l'eau ; en son absence, arrivent Oreste et Pylade qui se cachent pour ne pas être reconnus. Lamentations d'Électre qui pleure la mort de son père.

PARODOS (entrée du chœur) vers 167-212 : le chœur, Électre	Le chœur tente de redonner courage à Électre.
PREMIER ÉPISODE ➧ vers 213-338 : le coryphée, Électre, Oreste	Oreste aborde Électre qui ne le reconnaît pas : il prétend lui apporter un message de son frère. Électre explique sa situation : le paysan respecte sa virginité et elle attend le retour de son frère pour tuer les meurtriers de son père, dont elle décrit longuement les turpitudes.
vers 339-431 : les mêmes, le laboureur	Le paysan accueille les deux étrangers avec générosité.
PREMIER STASIMON vers 432-486 : le chœur	Rappel de la gloire des héros grecs (en particulier Achille et son fameux bouclier), vainqueurs de Troie.
DEUXIÈME ÉPISODE vers 487-549 : le vieil esclave, Électre	Électre a fait chercher le vieux serviteur qui a élevé Agamemnon et ses enfants, et a conduit le petit Oreste en Phocide. Les mèches de cheveux qu'il a trouvées sur le tombeau d'Agamemnon lui laissent espérer le retour d'Oreste. Électre reste incrédule.
vers 550-698 : le vieil esclave, ➧ Oreste, Électre, le chœur	Oreste sort de la maison : le vieillard le reconnaît. Joie des retrouvailles entre le frère et la sœur. Ils préparent le plan de la vengeance avec le vieux serviteur : Oreste tuera Égisthe au cours d'une fête de sacrifice et Électre attirera Clytemnestre chez elle sous prétexte qu'elle vient d'accoucher d'un fils.
DEUXIÈME STASIMON vers 699-746 : le chœur	Rappel de la dispute des frères Atrée et Thyeste pour le trône d'Argos.
TROISIÈME ÉPISODE vers 747-858 : le coryphée, Électre, le serviteur d'Oreste	Le serviteur annonce la mort d'Égisthe dont il fait le récit détaillé.
TROISIÈME STASIMON ➧ vers 859-879 : le chœur, Électre	Chants de joie du chœur et d'Électre à qui Oreste et Pylade apportent le cadavre d'Égisthe.

QUATRIÈME ÉPISODE vers 880-987 : Électre, Oreste, le coryphée	Électre crie toute sa haine en apostrophant violemment le cadavre d'Égisthe. Oreste hésite à tuer sa mère, Électre l'encourage ; il se cache dans la maison avec Pylade.
vers 988-1146 : le coryphée, Clytemnestre, Électre	Arrivée de Clytemnestre sur un char. Violent face-à-face mère-fille. Électre fait entrer sa mère chez elle sous prétexte de faire les purifications rituelles.
QUATRIÈME STASIMON vers 1147-1232 : le chœur, voix de Clytemnestre, Oreste, Électre	Le chœur annonce le crime. Cris de Clytemnestre depuis l'intérieur de la maison. L'*ekkyklèma* apporte les cadavres de Clytemnestre et d'Égisthe. Électre revendique la responsabilité du matricide. Le frère et la sœur se lamentent sur leur sort.
EXODOS vers 1233-1358 : le coryphée, Castor, Oreste, Électre	Apparition *ex machina* des Dioscures, frères de Clytemnestre. Castor annonce le dénouement : Oreste doit quitter Argos, poursuivi par les Érinyes, pour aller répondre de son crime devant l'Aréopage à Athènes ; Électre épousera Pylade ; Ménélas et Hélène débarquent à Nauplie (voir *Oreste*, p. 145). Adieux pathétiques entre Oreste et Électre.

ÉLECTRE [1]

Prologue

UN LABOUREUR

Antique pays d'Argos, arrosé par l'Inachos, tu vis jadis le roi Agamemnon faire voile pour la Troade avec mille vaisseaux chargés de guerriers. Après avoir tué Priam qui régnait sur la terre d'Ilion, après avoir pris la ville fameuse de Dardanos, il revint en Argos, et suspendit aux portes élevées des temples les nombreux trophées conquis sur les barbares. Il fut heureux là-bas ; mais, rentré dans son palais, il périt victime de la perfidie de Clytemnestre, sa femme, sous les coups d'Égisthe, fils de Thyeste. Ainsi Agamemnon est mort déchu de l'antique royauté de Tantale, et la fille de Tyndare est devenue la femme d'Égisthe qui règne sur ce pays.

Agamemnon, en partant pour Troie, avait laissé deux enfants en son palais, un fils, Oreste, et une fille, la jeune Électre. Un vieillard, autrefois gouverneur de leur père, déroba Oreste au trépas qu'Égisthe lui préparait, et l'envoya en Phocide où Strophios se chargea de l'élever.

Électre resta dans le palais de son père ; et, lorsqu'elle eut atteint l'âge fleuri de l'adolescence, les premiers princes de la Grèce briguèrent sa main. Mais craignant que, devenue l'épouse d'un Argien, elle ne donnât le jour à des enfants qui vengeraient Agamemnon, Égisthe la tint renfermée dans le palais, et refusa de lui choisir un époux. Cependant, comme il était encore à craindre qu'elle ne devînt mère, en s'unissant secrètement à quelque homme d'un rang illustre, il avait résolu de la faire périr ; mais sa mère, toute cruelle qu'elle est, la sauva des mains d'Égisthe. Car, si elle avait un prétexte pour justifier le meurtre de son époux, elle redoutait de se rendre odieuse en tuant ses enfants. Alors Égisthe imagina ce qui suit ; il promit de l'or à qui assassinerait le fils d'Agamemnon,

1. Traduction d'Émile Pessonneaux (revue, corrigée et annotée par A. Collognat), in *Théâtre d'Euripide*, tome I, Charpentier et Cie éditeurs, 1898.

parti en exil ; et il me donna Électre pour épouse. Issu d'aïeux originaires de Mycènes, on ne peut me reprocher ma naissance ; mais si je sors d'un sang illustre, je suis sans biens, et ma pauvreté a tué ma noblesse : petit est l'époux, petite la crainte qu'il inspire. Si un homme élevé en dignité avait épousé Électre, il eût réveillé le meurtre assoupi d'Agamemnon, et la peine eût alors atteint le coupable. Pour moi, Aphrodite m'est témoin que je n'ai point souillé le lit d'Électre, et qu'elle est encore vierge. Je rougirais d'outrager la fille de héros fortunés, à laquelle le sort m'a uni malgré mon indignité. Je plains le malheureux Oreste, mon frère, comme on l'appelle, si jamais de retour en Argos, il est témoin du funeste hymen de sa sœur. Quiconque m'accuse de folie, parce que je respecte la jeune fille entrée vierge dans ma demeure, saura qu'il apprécie mal la continence, et qu'il mérite lui-même d'être traité de fou.

ÉLECTRE, *sortant de la maison*

Sombre nuit, mère des astres d'or, tu me vois, la tête chargée de cette cruche, aller puiser à la fontaine. Ce n'est pas l'indigence qui me réduit à cette extrémité, mais je veux montrer aux dieux les outrages d'Égisthe. Mes lamentations remplissent l'air en l'honneur de mon père. La fille maudite de Tyndare, ma mère, m'a chassée de sa maison pour plaire à son époux. Depuis qu'elle a donné le jour à des enfants dont Égisthe est le père, Oreste et moi ne sommes plus rien dans la maison.

LE LABOUREUR

Pourquoi donc, infortunée, te charger en ma faveur de ces pénibles soins, auxquels ta naissance t'a rendue étrangère ? Pourquoi, lorsque je t'y invite, ne pas t'en affranchir ?

ÉLECTRE

Je mets au rang des dieux un ami tel que toi : car tu ne m'as pas insultée dans mon malheur. C'est un grand bonheur pour les mortels de rencontrer un médecin qui panse les blessures de l'adversité ; et ce médecin, je le trouve en toi. Je dois donc, même sans ton aveu, te soulager autant que possible dans tes travaux, pour que tu en supportes plus facilement le poids, et m'associer à ta vie laborieuse. Tu as bien assez à faire au dehors ; à moi de prendre soin de ta maison. Il est doux pour le laboureur qui revient des champs de trouver tout en ordre au-dedans.

LE LABOUREUR

Va, puisque tel est ton désir ; aussi bien la source n'est pas loin de cette maison. Pour moi, dès que le jour luira, je conduirai mes bœufs aux champs et retournerai la terre. Car jamais le paresseux, eût-il toujours à la bouche le nom des dieux, ne saurait pourvoir à sa substance sans le travail. *(Ils sortent, tandis qu'arrivent Oreste et Pylade.)*

ORESTE

Pylade, car de tous les hommes c'est toi que je considère comme mon ami et mon hôte le plus fidèle ; seul de tant d'amis tu as honoré le malheureux Oreste, victime des cruautés d'Égisthe, qui a tué mon père avec l'aide de ma détestable mère. Docile aux oracles du dieu je suis arrivé, à l'insu de tous, sur le territoire d'Argos pour expier le meurtre d'un père par le meurtre de ses assassins. Cette nuit même, je suis allé à son tombeau, je lui ai offert mes larmes et les prémices de ma chevelure, et j'ai arrosé le bûcher du sang d'une brebis, sans que les tyrans qui oppriment ce pays en aient eu connaissance. Si je ne franchis pas les murs de la ville, c'est que je poursuis deux buts à la fois en m'arrêtant sur les confins de ce pays : je veux sortir d'ici et passer sur une terre étrangère, si quelque espion vient à me reconnaître ; je veux aussi chercher ma sœur (elle n'est plus vierge, dit-on, mais soumise aux lois de l'hymen), pour m'entendre avec elle, et, l'associant à mon projet, apprendre clairement de sa bouche ce qui se passe dans ces murs. Mais voici l'aurore qui montre sa face brillante : sortons de ce sentier. Sans doute un laboureur ou quelque servante paraîtra à nos yeux ; nous l'interrogerons et saurons si ma sœur habite ces lieux... Mais j'aperçois une esclave qui porte sur sa tête rasée un vase rempli d'eau. Asseyons-nous, et voyons si nous ne tirerons point de cette femme quelques lumières sur l'objet qui nous amène en ce pays. *(Ils se cachent.)*

ÉLECTRE

Il en est temps ; avance, avance en te lamentant. Hélas, hélas ! Je suis le sang d'Agamemnon, j'ai pour mère Clytemnestre, la fille odieuse de Tyndare ; et mes concitoyens me nomment la malheureuse Électre. Ah ! les pénibles travaux, la triste existence que la mienne ! Ô mon père Agamemnon, tu es couché dans le tombeau, victime de ton épouse et d'Égisthe. Allons, répétons les mêmes gémissements, goûtons encore le plaisir de nous abreuver de larmes. Presse tes pas, il en est temps ; avance, avance en pleurant. Hélas ! hélas ! Dans quelle ville, dans quelle maison es-tu esclave, frère infortuné, depuis que tu as laissé dans la maison paternelle ta déplorable sœur pour y subir les maux les plus cruels ? Viens me délivrer de mes souffrances, ô Zeus ! Zeus ! Sois le vengeur du meurtre odieux d'un père ; que tes pas errants te conduisent en Argos. Déposons ce vase qui pèse sur mon front, pour adresser à mon père, avant le jour, l'hommage de mes lamentations. À toi, père, couché sous la terre, ces cris lugubres, chant de l'Hadès ; à toi, ces gémissements où je me complais chaque jour, me déchirant le visage avec les ongles, et frappant ma tête rasée en signe de deuil. Ah ! ah ! meurtris ton front. Comme un cygne mélodieux, sur les rives d'un fleuve, appelle son père chéri pris dans les nœuds d'un perfide lacet ; ainsi je te pleure, ô père infortuné, qui plongeas ton corps dans ce bain suprême, et te couchas pour jamais sur le lit funeste de la mort. Hélas ! hélas ! ô cruelle blessure faite par la hache ! cruelles embûches dressées à ton retour de Troie ! Ce n'est point avec des bandelettes et des couronnes que ton épouse t'a reçu ; mais après t'avoir frappé d'un glaive à deux tranchants et livré aux outrages d'Égisthe, elle a pris le traître pour époux. [...]

ORESTE

Que devra faire Oreste, s'il revient en Argos ?

ÉLECTRE

Tu le demandes ? ta question est honteuse. La mesure n'est-elle pas comble ?

ORESTE

Mais, s'il vient, comment tuera-t-il les meurtriers de ton père ?

ÉLECTRE

Qu'il ose ce que les traîtres ont osé contre mon père.

ORESTE

Aurais-tu le courage d'immoler ta mère de concert avec lui ?

ÉLECTRE

Je la frapperai de la hache même dont elle frappa mon père.

ORESTE

Le dirai-je à ton frère, et peut-on compter sur toi ?

ÉLECTRE

Que je meure, après avoir versé le sang de ma mère !

ORESTE

Ah ! plût au ciel qu'Oreste fût ici pour t'entendre !

ÉLECTRE

Mais j'aurais peine à le reconnaître, étranger, si je le voyais.

ORESTE

Comment s'en étonner ? Vous étiez jeunes tous deux, lors de votre séparation.

ÉLECTRE

Un seul ami me reste, qui pourrait le reconnaître.

ORESTE

N'est-ce pas celui qui, dit-on, l'a soustrait à la mort ?

ÉLECTRE

Oui, un vieillard d'un âge avancé, gouverneur de mon père.

ORESTE

Et ton père, après sa mort, a-t-il trouvé un tombeau ?

ÉLECTRE

Un tombeau, si l'on veut : on l'a relégué loin du palais.

ORESTE

Ah ! ce que tu dis m'afflige. Sans doute le cœur des mortels est sensible, même aux maux qui leur sont étrangers. Parle, afin que, instruit de la vérité, je reporte à ton frère des paroles qu'il doit entendre, toutes pénibles qu'elles sont. L'homme grossier est inaccessible à la pitié ; l'homme cultivé la ressent : car la culture de l'âme expose le sage à souffrir.

LE CORYPHÉE

J'éprouve le même désir que cet étranger. Élevée loin de la ville, j'ignore les misères qu'elle recèle : aussi voudrais-je en ce moment connaître ton sort.

ÉLECTRE

Je parlerai, s'il le faut : or, il faut que je dévoile à un ami mes cruelles infortunes et celles de mon père. Puisque tu me provoques à parler, étranger, fais part à Oreste, je t'en supplie, de mes maux et des siens. Dis-lui d'abord quels vêtements sales et misérables couvrent mon corps amaigri, quel toit abrite celle qui habitait naguère le palais d'un roi : c'est moi qui tisse péniblement les vêtements que je porte ; sinon, j'irais à demi nue ; c'est moi qui vais chercher l'eau à la fontaine. Vierge encore, je fuis le commerce des femmes, et ne prends part ni aux fêtes sacrées ni aux chœurs de danses ; je fuis le souvenir de Castor, auquel m'unissent les liens du sang et à qui ma main fut promise avant qu'il prît place parmi les dieux. Cependant ma mère est assise sur le trône, au milieu des dépouilles de la Phrygie, et près d'elle se tiennent des esclaves asiatiques, conquête de mon père, vêtues de robes phrygiennes nouées avec des agrafes d'or ; et le sang noir d'Agamemnon pourrit dans le palais ! L'assassin paraît en public, monté sur le char même de sa victime, et se glorifie de tenir dans ses mains homicides le sceptre avec lequel mon père commandait aux Grecs. Le tombeau d'Agamemnon, privé d'honneurs, n'a reçu ni libations ni branches de myrte, et le bûcher est vide d'offrandes. Égaré par l'ivresse, le mari de ma mère, l'illustre Égisthe, comme on l'appelle, foule aux pieds ce tombeau ; il lance des pierres contre le monument élevé à mon père, et profère à notre adresse ces paroles arrogantes : « Où est ton fils Oreste ? Comme il défend bien ta tombe par sa présence ! » Tels sont les outrages dont Oreste absent est l'objet. Eh bien ! étranger, reporte-lui mes paroles, je t'en supplie. C'est à lui que s'adressent par ma bouche ces bras, ces lèvres, ce cœur souffrant, cette tête rasée, et l'auteur de ses jours. Il serait honteux que le père eût anéanti la nation phrygienne, et que le fils ne pût tuer, seul, un seul homme, lui qui est jeune et issu d'un sang glorieux.

Électre retrouve son frère

ORESTE

Salut, vieillard. – Électre, quel est ce vieil homme ? est-il de tes amis ?

ÉLECTRE

Étranger, c'est lui qui éleva mon père.

ORESTE

Quoi ! c'est lui qui déroba ton frère à la mort ?

ÉLECTRE

Tu vois celui qui le sauva, si toutefois il existe encore.

ORESTE

Eh ! qu'a-t-il à me considérer, comme on fait de l'empreinte brillante d'une pièce d'argent ? Me trouve-t-il de la ressemblance avec quelqu'un ?

ÉLECTRE

Peut-être est-il heureux de voir un homme du même âge qu'Oreste.

ORESTE

Un homme, du moins, qui le chérit. Mais pourquoi tourne-t-il autour de moi ?

ÉLECTRE

Moi aussi, étranger, sa conduite me surprend.

LE VIEILLARD

Ô ma fille vénérée, Électre, rends grâces aux dieux.

ÉLECTRE

Pour ce que j'ai, ou pour ce que je n'ai pas ?

LE VIEILLARD

Prie-les de te donner en effet le cher trésor qu'ils te montrent.

ÉLECTRE

Soit, j'invoque les dieux. Mais que veux-tu dire, vieillard ?

LE VIEILLARD

Considère, ma fille, ce mortel chéri.

ÉLECTRE

Je crains depuis longtemps que tu ne sois plus dans ton bon sens.

LE VIEILLARD

Je ne suis pas dans mon bon sens, en voyant ton frère ?

ÉLECTRE

Comment entends-tu une parole si imprévue ?

LE VIEILLARD

Voilà Oreste, le fils d'Agamemnon.

ÉLECTRE

À quel signe le reconnais-tu, auquel je puisse me fier ?

LE VIEILLARD

À cette cicatrice près du sourcil : c'est la trace d'une blessure qu'il se fit en tombant, un jour qu'il poursuivait avec toi un jeune chevreuil dans le palais de votre père.

ÉLECTRE

Que dis-tu ?... Je vois la trace de sa chute.

LE VIEILLARD

Et tu hésites encore à embrasser ce mortel chéri ?

ÉLECTRE

Non, je n'hésite plus, vieillard : mon cœur se fie à ces marques. – Ô toi, qui fus si long à paraître, je te tiens dans mes bras contre toute espérance !

ORESTE

Et moi aussi, je te tiens enfin !

ÉLECTRE

Je ne l'aurais jamais cru.

ORESTE

Je n'osais l'espérer moi-même.

ÉLECTRE

Est-ce bien toi ?

ORESTE

Oui, ton unique allié, si le coup de filet que je médite réussit. J'ai bon espoir ; ou, c'est à ne plus croire que les dieux existent, si l'injustice doit triompher de la justice.

LE CHŒUR

Tu es arrivé, tu es arrivé, ô jour longtemps attendu ! Tu as brillé et montré à cet État, comme un astre lumineux, ce prince infortuné, de retour après un long exil loin du foyer paternel. Un dieu, chère amie, un dieu nous ramène la victoire. Élève vers le ciel tes mains et tes discours, pour que ton frère entre dans la ville sous d'heureux auspices.

ORESTE

C'est bien. Je goûte, certes, la douceur de ces embrassements, et plus tard nous les renouvellerons. Mais toi, vieillard, qui es venu si fort à propos, dis-moi ce qu'il faut faire pour punir le meurtrier de mon père et ma mère, son épouse adultère. Ai-je dans Argos quelques amis fidèles ? Ou sommes-nous renversés sans espoir, ainsi que notre fortune ? À qui dois-je m'associer ? Faut-il agir de jour ou de nuit ? Quel chemin prendrai-je pour atteindre mes ennemis ? [...]

Le plan de la vengeance

LE VIEILLARD

En t'apercevant, Égisthe t'invitera à prendre part au repas.

ORESTE

Il aura là un funeste convive, si le ciel me l'accorde.

LE VIEILLARD

Pour le reste, tu te régleras sur les circonstances.

ORESTE

C'est fort bien dit. Et ma mère, où est-elle ?

LE VIEILLARD

À Argos ; mais elle ne tardera pas à se rendre à la fête.

ORESTE

Pourquoi n'a-t-elle pas accompagné son époux ?

LE VIEILLARD

Redoutant le blâme des citoyens, elle est restée au palais.

ORESTE

Je comprends : elle sent qu'elle leur est suspecte.

LE VIEILLARD

Tu l'as dit : une femme impie est détestée.

ORESTE

Comment donc la tuerai-je en même temps que lui ?

ÉLECTRE

Moi, je me charge du meurtre de ma mère.

ORESTE

Pour ce qui est d'Égisthe, la fortune favorisera mon entreprise.

ÉLECTRE

Puisse-t-elle nous seconder tous deux !

ORESTE

Il en sera ainsi. Et quel piège veux-tu tendre à notre mère ?

ÉLECTRE

Va trouver Clytemnestre, vieillard, et annonce-lui que j'ai donné le jour à un fils.

LE VIEILLARD

Dirai-je que l'accouchement est ancien ou qu'il est récent ?

ÉLECTRE

Dis-lui que le jour de purification pour l'accouchée est arrivé [1].

LE VIEILLARD

Mais comment la mort de ta mère sera-t-elle le fruit de cet artifice ?

ÉLECTRE

Elle viendra à la nouvelle de mon accouchement.

LE VIEILLARD

Et pourquoi ? crois-tu donc qu'elle s'intéresse à toi, ma fille ?

ÉLECTRE

Assurément ; et elle pleurera sur le rang de mon enfant.

LE VIEILLARD

Peut-être ; mais poursuis et va jusqu'au bout.

ÉLECTRE

Qu'elle vienne, et sa mort est certaine.

[...]

1. Quelques jours après un accouchement, avaient lieu des cérémonies rituelles de purification.

L'exécution de la vengeance

ÉLECTRE

Ô lumière ! ô char étincelant du soleil ! ô terre ! ô nuit où j'étais plongée jusqu'à présent ! Je peux maintenant déployer librement mes regards, puisque le meurtrier de mon père, Égisthe, a succombé. Je veux apporter, mes amies, tous les ornements que je possède et que renferme ma maison, pour couronner le front de mon frère victorieux.

LE CHŒUR

Toi, cherche de quoi parer sa tête ; nous, nous exécuterons des danses agréables aux Muses. Nos anciens rois, nos rois chéris, vont désormais régner sur cette terre et remplacer justement d'injustes tyrans. Que le son de la flûte réponde à notre allégresse !

ÉLECTRE

Illustre vainqueur, né d'un père victorieux dans la lutte engagée sous les murs d'Ilion, reçois cette couronne destinée à ceindre tes cheveux. Car tu rentres à la maison, non après avoir conquis une palme stérile dans le stade, mais après avoir tué Égisthe, notre ennemi, le fléau de notre père et le tien. Et toi, Pylade, associé à ses périls, toi, le nourrisson d'un père si pieux, reçois de ma main une couronne ; car tu as eu dans le combat une part égale à la sienne. Puissé-je vous voir l'un et l'autre toujours heureux !

ORESTE

Électre, c'est aux dieux que tu dois tout d'abord attribuer cet heureux événement ; loue-moi, après eux, comme le ministre des dieux et de la fortune. Ce n'est point un vain discours ; j'ai tué effectivement Égisthe ; et, pour que personne n'en puisse douter, je t'apporte son corps, pour que tu le livres, si tel est ton désir, à la dent des bêtes féroces, ou que, suspendu à un pieu, il serve de pâture aux oiseaux, habitants de l'air. Car il est maintenant ton esclave, celui qu'on appelait auparavant ton maître.

ÉLECTRE

J'en rougis, je l'avoue ; néanmoins je veux parler...

ORESTE

Que dis-tu ? parle : tu n'as rien à craindre.

ÉLECTRE

Je crains, en outrageant les morts, de me rendre odieuse.

ORESTE

Il n'est personne qui puisse t'en faire un reproche.

ÉLECTRE

Notre cité est d'humeur chagrine et portée au blâme.

ORESTE

Explique-toi franchement, ma sœur : car nous avons voué à cet homme une haine irréconciliable.

ÉLECTRE

Soit. Par quel outrage commencer, par quel outrage finir mon discours ? que dirai-je au milieu ? Jamais, dans mes veilles matinales, je ne cessais de murmurer les reproches que je voulais t'adresser en face, si j'étais affranchie un jour de mes anciennes frayeurs. Je suis libre aujourd'hui. Je vais donc m'acquitter avec toi et t'insulter, comme je voulais le faire de ton vivant. Tu m'as perdue ; tu nous as rendus, mon frère et moi, orphelins d'un tendre père, sans avoir été provoqué par aucune offense. Tu as contracté avec ma mère un hymen honteux, et tu as tué le héros qui commandait l'armée des Grecs, sans avoir mis toi-même le pied en Phrygie. Tu as poussé la folie jusqu'à te flatter que ma mère ne te serait pas infidèle, quand tu avais souillé la couche de mon père. Quiconque, après avoir noué secrètement avec la femme d'un autre de coupables relations, est contraint plus tard de l'épouser, est à plaindre, qu'il le sache bien, s'il espère qu'elle gardera avec lui les lois de la pudeur après les avoir violées avec son premier époux. Tu menais dans ce palais l'existence la plus misérable, et tu ne te croyais pas malheureux. Car tu savais que tu avais épousé une femme impie, et ma mère savait qu'elle s'était donné un époux criminel. Pervers tous les deux, chacun de vous a recueilli le malheur attaché au crime de l'autre. Tu entendais dire à tous les Argiens : « C'est le mari de Clytemnestre, et non c'est la femme d'Égisthe. » Certes il est honteux que la femme commande dans la maison, et non pas l'homme ; et je déteste ces enfants qu'on appelle dans la ville du nom de la mère, et non de celui du père. Qu'on s'allie à une épouse illustre et d'un rang élevé : l'homme disparaît, il n'est question que de la femme... Mais ce qui a trompé surtout ton ignorance, c'est que tu te flattais d'être devenu un personnage, grâce à tes richesses ; mais les richesses ne sont bonnes qu'à nous accompagner un court espace de temps. Car si la vertu innée est stable, les richesses sont passagères ; l'une, inséparable de nous, triomphe du malheur ; mais la fortune, fruit de l'injustice et compagne de la perversité, s'évanouit après avoir jeté un éclat éphémère. Je ne dis rien de ta conduite avec les femmes, parce qu'il ne sied pas à une jeune fille d'en parler ; mais je me ferai comprendre à demi-mot : tu les insultais, en homme qui habite une demeure royale et est fort de sa beauté. Puisse mon époux, à moi, avoir, non les traits d'une jeune fille, mais le cœur d'un homme : car les fils d'un tel père sont les disciples d'Arès, tandis que de beaux enfants ajoutent seulement à l'ornementation des chœurs de danse comme toi. Sois maudit, toi qui n'as rien su prévoir du châtiment qui devait t'accabler en expiation de tes crimes. Que personne désormais, pour avoir fourni heureusement la moitié de la carrière, ne croie avoir vaincu la justice, jusqu'à ce qu'il ait touché la borne et achevé entièrement la course de la vie.

LE CHŒUR

Il avait commis d'horribles attentats : Oreste et toi, vous lui avez infligé, en retour, un horrible supplice. Car la Justice a un grand pouvoir.

ORESTE

C'est assez. – Il faut, esclaves, porter ce corps dans la maison et le dérober aux regards, pour que ma mère, à son arrivée, ne voie pas le cadavre avant d'être tuée elle-même.

ÉLECTRE

Tais-toi : changeons de discours.

ORESTE

Quoi ? aperçois-tu des auxiliaires nous venant de Mycènes ?

ÉLECTRE

Non, c'est ma mère, celle à qui je dois le jour.

ORESTE

Elle vient à propos se jeter dans nos filets.

ÉLECTRE

Quel luxe elle étale dans son char et dans sa parure !

ORESTE

Qu'allons-nous faire ? égorgerons-nous une mère ?

ÉLECTRE

La pitié s'est-elle emparée de toi, en reconnaissant ta mère ?

ORESTE

Hélas ! tuerai-je celle qui m'a nourri et porté dans ses flancs ?

ÉLECTRE

Comme elle a immolé ton père et le mien.

ORESTE

Ô Phébus, tu as prononcé un oracle insensé...

ÉLECTRE

Si Apollon déraisonne, où sont les sages ?

ORESTE

... toi qui m'as ordonné de tuer ma mère, que je devrais épargner.

ÉLECTRE

Mais quel reproche crains-tu en vengeant un père ?

ORESTE

J'avais les mains pures, et l'on m'accusera de matricide.

ÉLECTRE

Si tu ne venges pas ton père, tu passeras pour impie.

ORESTE

Je serai puni d'avoir versé le sang de ma mère.

ÉLECTRE

Qui donc chargeras-tu, à ton défaut, de venger ton père ?

ORESTE

N'est-ce point un mauvais génie qui m'a parlé sous la forme d'un dieu ?

ÉLECTRE

Assis sur le trépied sacré [1]... je ne le crois pas.

ORESTE

Je ne saurais croire qu'un pareil oracle ait été bien rendu.

ÉLECTRE

Crains de faiblir et de tomber dans la lâcheté.

ORESTE

Mais lui tendrai-je le même piège ?

ÉLECTRE

Celui-là même où tu as pris et tué Égisthe, son époux.

ORESTE

Entrons... J'aborde une entreprise terrible : l'acte que je vais accomplir est terrible assurément. Si telle est la volonté des dieux, soit ! Mais ce combat est pour moi amer et doux à la fois. *(Arrive le char de Clytemnestre.)*

LE CORYPHÉE

Salut, reine du pays d'Argos, fille de Tyndare et sœur des deux frères vaillants [2], issus de Zeus, qui habitent, au sein des astres, l'éther enflammé, et jouissent sur les flots

1. La Pythie était installée sur un trépied sacré dans le temple d'Apollon à Delphes.

2. Les Dioscures, Castor et Pollux.

de la mer du privilège de sauver les mortels ! Je te vénère à l'égal des dieux bienheureux et pour ton opulence et pour l'éclat de tes prospérités. Il est temps, ô reine, que l'on rende hommage à ta fortune.

CLYTEMNESTRE

Descendez, Troyennes, et donnez-moi la main pour que je mette le pied hors de ce char. Les temples des dieux sont ornés des dépouilles de la Phrygie ; et moi, j'ai reçu ces captives, choisies entre toutes les Troyennes, en échange de la fille que j'ai perdue [1] à faible prix, qui toutefois ne dépare pas mon palais.

ÉLECTRE

Et moi, esclave comme elles, bannie de la maison paternelle et reléguée dans une misérable demeure, ne prendrai-je point, ma mère, ta main fortunée ?

CLYTEMNESTRE

Voilà des esclaves qui rempliront cet office ; ne prends pas cette peine.

ÉLECTRE

Pourquoi non ? ne m'as-tu pas reléguée, en captive, loin de la maison paternelle ? Ce palais pris, je fus prise moi-même et restai orpheline de père, comme ces Troyennes.

CLYTEMNESTRE

La faute en est à ton père qui a ourdi de coupables attentats contre des êtres chéris qu'il aurait dû surtout épargner. Je parlerai ; et pourtant, lorsqu'une femme a mauvaise réputation, ses discours sont mal reçus, à tort, selon moi : ce n'est qu'instruit de la réalité qu'il est juste de haïr, si la haine est légitime ; sinon, pourquoi faut-il haïr ? Tyndare ne m'unit pas à ton père, pour qu'il me fît périr moi ou les enfants que je lui donnerais ; cependant ton père partit avec ma fille sous le prétexte de la marier avec Achille, et l'emmena à Aulis où stationnait la flotte : là, Iphigénie fut étendue sur le bûcher de l'autel, et le fer

1. Iphigénie, sacrifiée à Aulis (voir p. 174).

trancha le cou blanc de la victime. S'il avait voulu ainsi prévenir la ruine de sa patrie ; si, pour secourir sa maison et sauver ses autres enfants, il eût racheté plusieurs vies par le sacrifice d'une seule, je lui aurais pardonné. Mais parce que Hélène fut sans pudeur, et que son époux n'a pas su châtier la perfide, était-ce une raison pour faire périr ma fille ? Néanmoins, malgré ces injustes procédés, je dominais ma colère, et je n'aurais pas tué mon époux. Mais il revint, m'amenant une Ménade [1], inspirée du souffle divin, et la fit entrer dans son lit ; et nous nous trouvions deux épouses sous le même toit. L'amour trouble la raison des femmes, je ne le nie pas ; il en résulte que, si l'époux s'oublie jusqu'à dédaigner le lit conjugal, l'épouse suit volontiers son exemple et cherche ailleurs un amant ; et puis, on nous inflige un blâme éclatant ; et les hommes, qui sont les vrais coupables, n'en ont pas pour cela pire réputation. Si Ménélas eût été enlevé furtivement de son palais, devais-je tuer Oreste pour sauver Ménélas, l'époux de ma sœur ? Crois-tu que ton père eût souffert cet outrage ? Ainsi le meurtrier de ma fille n'avait pas mérité la mort, tandis que moi j'aurais dû périr ? J'ai tué, j'ai pris la seule voie qui m'était ouverte en m'adressant à ses ennemis : car nul parmi les amis de ton père ne se fût associé à ma vengeance. Parle, si tu as quelque chose à dire, parle en toute liberté, et prouve-moi que ton père n'a pas mérité la mort.

ÉLECTRE

La justice parlera par ma bouche ; ta justice, à toi, est honteuse. Une femme, pour peu qu'elle soit sensée, doit tout concéder à son époux ; celle qui ne pense pas ainsi, je ne lui donne même pas place dans mes discours. Souviens-toi, ma mère, des dernières paroles que tu as prononcées et où tu m'autorisais à te parler en toute liberté.

CLYTEMNESTRE

Je le répète, ma fille, et ne m'en dédis pas.

1. Il s'agit de Cassandre, fille de Priam, qui passait pour folle.

ÉLECTRE

M'engages-tu à te répondre pour me punir ensuite d'avoir parlé ?

CLYTEMNESTRE

Loin de là, je me rendrai volontiers à tes avis.

ÉLECTRE

Je parlerai donc, et voici par quoi je commencerai. Plût au ciel, ô ma mère, que de meilleures pensées t'eussent inspirée ! On vante avec raison la beauté d'Hélène et la tienne ; mais issues toutes deux du même sang, vous êtes toutes deux frivoles et indignes d'avoir Castor pour frère. L'une, en effet, a été enlevée et s'est laissé corrompre volontairement ; toi, tu as fait périr le plus illustre des Grecs, en alléguant pour prétexte que tu avais tué ton époux pour venger ta fille ; mais ce qu'on ignore et ce que je sais, moi, c'est qu'avant que le meurtre d'Iphigénie fût décidé, peu de temps après le départ de ton époux, tu arrangeais devant un miroir les boucles de tes cheveux blonds. Or, la femme qui, en l'absence de son mari, se pare pour être belle, il faut la retrancher du nombre des femmes honnêtes. Quel besoin a-t-elle, en effet, d'étaler ses charmes au dehors, si elle ne cherche pas à faire le mal ? Seule de toutes les femmes grecques, tu te réjouissais, je le sais, si les affaires des Troyens allaient bien ; la tristesse voilait tes yeux, s'ils éprouvaient des revers : car tu ne désirais pas qu'Agamemnon revînt de Troie. Cependant il t'était facile d'être sage : tu avais un époux qui ne le cédait pas à Égisthe et que la Grèce avait choisi pour son chef. Après les fautes que ta sœur Hélène avait commises, tu pouvais obtenir une grande gloire : car le vice sert d'exemple et de leçon aux cœurs vertueux. Si mon père, comme tu le dis, a tué ta fille, en quoi t'avons-nous offensée, moi et mon frère ? Pourquoi, après avoir immolé ton époux, ne nous as-tu pas rendu le palais de nos pères ? Pourquoi t'es-tu donné un nouvel époux, en achetant cet hymen au prix de notre patrimoine ? Ce nouvel époux, que n'est-il exilé pour expier l'exil de ton fils ! Que n'est-il mort, pour m'avoir fait mourir vivante d'une mort deux fois aussi cruelle que celle de ma sœur ! Si le meurtre est compensé par le meurtre, je te tuerai de concert avec ton fils Oreste, pour venger la mort de mon père. Si sa mort était juste, la tienne sera légitime. Quiconque, séduit par la fortune ou la naissance, épouse une méchante femme, est insensé. Peu de bien vaut mieux que de grandes richesses, si la maison est chaste.

LE CORYPHÉE

C'est le hasard qui forme les nœuds de l'hymen. Je vois, parmi les mortels, les uns perdre, les autres gagner à ce jeu.

CLYTEMNESTRE

Ma fille, la nature t'a faite pour chérir toujours ton père. Ainsi va le monde : les uns préfèrent leur père, les autres aiment mieux leur mère. Je ne t'en voudrai pas pour cela : car je ne m'applaudis pas autant que tu le crois pour ce que j'ai fait. Mais toi, à peine relevée de couches, se peut-il que tu sois ainsi sale et mal vêtue ! Ah ! j'ai été bien mal inspirée ! J'ai allumé contre toi, plus que de raison, la colère de mon époux.

ÉLECTRE

Il est trop tard pour gémir sur des maux aujourd'hui sans remède. Mon père est mort. Mais ton fils, errant loin de sa patrie, pourquoi ne le ramènes-tu pas ?

CLYTEMNESTRE

Je le crains : je considère mon intérêt, et non le sien. On le dit irrité du meurtre de son père.

ÉLECTRE

Pourquoi donc entretenir ton époux dans des sentiments hostiles contre nous ?

CLYTEMNESTRE

Tel est son caractère. Mais toi aussi, tu as un cœur inflexible.

ÉLECTRE

C'est que je souffre ; mais je refoulerai mon ressentiment.

CLYTEMNESTRE

Aussi bien se montrera-t-il désormais moins dur envers toi.

ÉLECTRE

Son orgueil est satisfait : car il habite dans ma maison.

CLYTEMNESTRE

Tu vois ! tu provoques encore de nouvelles disputes.

ÉLECTRE

Je me tais : car je le crains comme je dois le craindre.

CLYTEMNESTRE

Assez ! et dis-moi, ma fille, pourquoi tu m'as demandée.

ÉLECTRE

Tu as eu connaissance, je suppose, de mon accouchement. Offre en mon nom, car je ne sais comment faire le sacrifice d'usage pour la dixième lune de mon fils : mère pour la première fois, je connais peu les rites.

CLYTEMNESTRE

Ce soin regarde celle qui t'a délivrée.

ÉLECTRE

J'ai accouché seule, et j'ai mis au monde l'enfant sans le secours d'autrui.

CLYTEMNESTRE

Se peut-il que tu n'aies pas d'ami dans le voisinage ?

ÉLECTRE

Personne ne recherche l'amitié des pauvres.

CLYTEMNESTRE

Eh bien ! je vais célébrer par un sacrifice le dixième jour de la naissance de l'enfant. Quand je t'aurai rendu ce service, je me transporterai aux champs où mon époux sacrifie aux Nymphes. – Esclaves, emmenez ces chevaux, et placez-les près des râteliers ; et, lorsque vous jugerez que le sacrifice doit être achevé, revenez : car il faut aussi donner satisfaction à mon époux.

ÉLECTRE

Entre dans ma pauvre demeure, et garde que ce toit enfumé ne noircisse tes vêtements. Car tu immoleras aux dieux la victime qu'ils ont droit d'attendre de toi. *(Clytemnestre entre.)* Oui ! la corbeille est prête et le couteau aiguisé : c'est celui qui abattit le taureau près duquel tu vas tomber frappée ; et tu seras unie encore dans l'Hadès à l'homme dans les bras duquel tu dormais à la clarté du jour. C'est ainsi que je m'acquitterai avec toi et que tu me payeras la mort de mon père. *(Électre entre à son tour.)*

LE CHŒUR

Les maux retombent sur leurs auteurs. Le vent qui soufflait sur cette maison a tourné. Jadis mon maître périt dans un bain ; le toit et les créneaux de pierre du palais retentirent de ces paroles : « Ô cruelle épouse, pourquoi m'assassines-tu à mon retour dans ma patrie, après dix ans d'absence ? » Mais la Justice, revenant sur ses pas, attire dans le piège la femme adultère, qui, s'armant d'une hache, frappa elle-même son époux du tranchant acéré, alors qu'il revenait après un long temps dans ses foyers, au sein de ces murs élevés, bâtis par les Cyclopes : meurtrière impie, quelque douleur qui ait pesé sur l'infortunée [1]. Telle qu'une lionne des montagnes, habitant la chênaie touffue, elle a consommé le crime.

VOIX DE CLYTEMNESTRE *(dans la maison)*

Ô mes enfants, au nom des dieux, ne tuez pas votre mère.

LE CHŒUR

Entends-tu crier dans la maison ?

VOIX DE CLYTEMNESTRE

Hélas ! hélas !

1. La douleur provoquée par le sacrifice d'Iphigénie.

LE CHŒUR

Moi aussi je gémis sur le sort de cette mère égorgée par ses enfants. Oui, Dieu distribue la justice, à l'heure que veut le destin. Tu as subi un traitement cruel ; mais tu as commis sur ton époux, malheureuse, un forfait impie. *(Ils sortent de la maison. La plate-forme de l'ekkyklèma amène les corps d'Égisthe et de Clytemnestre.)* – Les voilà qui sortent de la maison, les mains encore humides du sang maternel : ce qui prouve la victoire remportée par un triste sacrifice. Non, il n'est pas, il ne fut jamais aucune maison plus malheureuse que celle de Tantale.

ORESTE

Ô Terre ! ô Zeus, à qui rien n'échappe de ce que font les mortels ! voyez ces actes sanglants, atroces, ces deux corps que le coup porté par mon bras a couchés sur la terre, en retour des maux que j'ai soufferts.

ÉLECTRE

Ne pleure pas ainsi, mon frère ! la coupable, c'est moi ! Malheureuse fille, je me suis consumée de haine contre celle qui m'a mise au monde.

LE CHŒUR

Je déplore ton destin, mère de malheur : tes propres enfants t'ont infligé un traitement atroce, lamentable, sans nom. Tu as justement expié le meurtre de leur père.

ORESTE

Ô Phébus ! tu as prononcé l'oracle de la vengeance : des maux que le jour ne devait pas éclairer, tu les as produits à la lumière. C'est à toi que je dois d'être banni du sol de la Grèce comme meurtrier. Dans quelle ville irai-je ? quel hôte, quel ami de la piété lèvera les yeux sur ce front chargé d'un matricide ?

ÉLECTRE

Hélas ! hélas ! Et moi, où irai-je ? à quel chœur de danse, à quel hymen serai-je admise ? Quel époux me recevra dans la couche conjugale ?

ORESTE

Ton cœur a changé quand a changé le souffle des circonstances. Tu as maintenant de pieux sentiments ; et certes, la piété ne t'inspirait pas tout à l'heure. Chère sœur, tu as entraîné ton frère, malgré lui, à un acte horrible. As-tu vu comment l'infortunée, écartant ses vêtements, a découvert son sein, et m'a saisi au moment où je la frappais ? Hélas ! elle traînait sur le sol ses malheureux genoux ; et moi, le cœur me manquait.

LE CHŒUR

Je le sais, tu t'es laissé attendrir aux gémissements lamentables d'une mère, de celle qui t'a porté dans ses flancs.

ORESTE

Elle s'écriait, la main posée sur mon menton : « Mon enfant, je te supplie. » Et elle se suspendait à mon cou, en sorte que l'arme s'échappa de mes mains.

LE CHŒUR

La malheureuse ! Comment as-tu soutenu la vue d'une mère expirante ?

ORESTE

J'ai étendu mon manteau devant mes yeux et commencé le sacrifice en plongeant le fer dans le cou de ma mère.

ÉLECTRE

Et moi, j'ai animé ton courage, et en même temps que toi j'ai touché le glaive.

LE CHŒUR

Ah ! tu as commis le plus horrible des forfaits.

ORESTE

Prends mon manteau et cache le corps de notre mère dans ses plis ; aide-moi à fermer ses plaies sanglantes. – Mère, c'est donc tes propres meurtriers que tu as mis au monde !

ÉLECTRE

Ô toi que nous n'avons pas pu aimer, nous t'enveloppons dans ce vêtement.

LE CHŒUR

C'est le couronnement des malheurs terribles réservés à cette maison. [...]

Les adieux

LES DIOSCURES

Vos actes et vos destins sont communs : un seul crime, hérité de vos pères, vous a perdus tous les deux.

ORESTE

Ô ma sœur, je n'ai donc été si longtemps sans te voir que pour être privé aussitôt de tes caresses ! Je vais te quitter, comme tu me quitteras toi-même.

LES DIOSCURES

Elle a un époux et une maison ; elle n'est à plaindre que parce qu'elle abandonne la ville d'Argos.

ORESTE

Est-il un plus juste sujet de larmes que de fuir loin de sa patrie ? Je vais sortir du palais de mon père, et j'expierai, au gré de juges étrangers, le meurtre de ma mère.

LES DIOSCURES

Rassure-toi : la cité de Pallas, où tu vas, est une cité pieuse [1]. Résigne-toi donc.

ÉLECTRE

Ô le plus chéri des frères, serre ton sein contre mon sein. Les sanglantes imprécations d'une mère nous bannissent de la maison de nos pères.

ORESTE

Entoure de tes bras, presse ton frère sur ton cœur ; répands sur lui des larmes comme sur le tombeau d'un mort.

1. Athènes, cité de Pallas Athéna.

LES DIOSCURES

Hélas ! hélas ! Les dieux mêmes n'entendent point vos plaintes sans être émus. Nous savons compatir, nous et les autres habitants du ciel, aux infortunes des mortels.

ORESTE

Je ne te verrai plus.

ÉLECTRE

Plus jamais je ne serai près de toi...

ORESTE

Ce sont les dernières paroles que tu m'adresses.

ÉLECTRE

Adieu, patrie ! Adieu, chères concitoyennes !

ORESTE

Ô fidèle amie, tu vas donc partir !

ÉLECTRE

Je pars, et je pleure de partir.

ORESTE

Pylade, sois heureux, et unis-toi à Électre.

LES DIOSCURES

Le soin de cet hymen les regarde. Toi, pars pour Athènes, et dérobe-toi aux poursuites de ces chiennes furieuses. Car elles s'élancent sur tes traces, avec leurs mains de serpents, ces noires divinités qui se repaissent des affreuses douleurs de leurs victimes. Pour nous, hâtons-nous d'aller sur la mer de Sicile pour sauver les vaisseaux. Dans notre course à travers la plaine éthérée, nous ne portons pas secours aux impies ; mais ceux qui pratiquent la piété et la justice, nous les sauvons et les délivrons des maux qui les accablent. Que personne donc ne s'abandonne à l'injustice, et ne navigue en compagnie des parjures. C'est un dieu qui tient ce langage aux mortels.

LE CORYPHÉE

Adieu : quiconque parmi les mortels goûte la joie et ne souffre d'aucun revers, vit heureux.

Fin de la pièce

4
EURIPIDE
ORESTE
408 avant J.-C.

L'action se passe à Argos, devant le palais d'Agamemnon ; Oreste est endormi sur un lit près de l'entrée. Depuis cinq jours, il est en proie à des accès de démence et de torpeur, il n'a plus mangé, ne s'est plus lavé depuis le meurtre de sa mère. Électre le veille.	**Personnages :** Oreste, fils d'Agamemnon et de Clytemnestre Électre, sœur d'Oreste Pylade, cousin d'Oreste Ménélas, frère d'Agamemnon Hélène, épouse de Ménélas Hermione, fille de Ménélas et d'Hélène Tyndare, roi de Sparte, père de Clytemnestre et d'Hélène Un esclave phrygien Un messager (un vieux paysan) Apollon Le chœur, composé de jeunes femmes d'Argos

Ne sont mentionnés ci-après que les personnages qui prennent la parole.

PROLOGUE vers 1-69 : monologue d'Électre	Résumé de la situation par Électre : les Atrides ; le matricide ; Oreste et Électre doivent être jugés par les Argiens ; Ménélas et Hélène, enfin rentrés de Troie, ont retrouvé Hermione élevée à Argos.
vers 70-139 : Hélène, Électre	Arrivée d'Hélène : elle veut faire les offrandes rituelles sur la tombe de sa sœur et décide d'y envoyer Hermione. Électre blâme le « naturel » néfaste de sa tante.

PARODOS (entrée du chœur) vers 140-207 : le chœur, Électre	Électre et le chœur se lamentent sur le sort d'Oreste en train de dormir.
PREMIER ÉPISODE vers 208-315 : le coryphée, Oreste, Électre	Oreste se réveille ; Électre le soigne avec tendresse et lui apprend l'arrivée de leur oncle. En proie à des hallucinations, Oreste est persécuté par les Érinyes.
PREMIER STASIMON vers 316-347 : le chœur	Invocation aux Euménides, puis à Zeus.
DEUXIÈME ÉPISODE vers 348-469 : le coryphée, Ménélas, Oreste	Arrivée de Ménélas : averti par un dieu marin de la mort de son frère, il vient d'apprendre le meurtre de Clytemnestre en abordant au port de Nauplie. Oreste se fait reconnaître et implore l'aide de son oncle : le matricide doit être jugé le jour même par les Argiens.
vers 470-628 : Tyndare, Ménélas, le coryphée, Oreste	Arrivée de Tyndare qui s'en prend violemment à son petit-fils et dénonce la loi du talion. Il interdit à Ménélas de le secourir et souhaite que les Argiens votent la lapidation du meurtrier avec sa sœur. Oreste se défend en accusant sa mère.
vers 629-728 : Oreste, Ménélas, le coryphée	Sous prétexte de chercher à apaiser Tyndare et la foule des Argiens, Ménélas s'en va.
vers 729-806 : Oreste, Pylade	Arrivée de Pylade : il est prêt à tout pour secourir Oreste. Oreste et Pylade sortent pour aller sur le tombeau d'Agamemnon.
DEUXIÈME STASIMON vers 807-843 : le chœur	Rappel des malheurs des Atrides.
TROISIÈME ÉPISODE vers 844-959 : Électre, le coryphée, le messager	Étonnée de ne plus voir son frère, Électre apprend d'un vieux paysan la condamnation à mort votée par les Argiens et les péripéties du débat.
TROISIÈME STASIMON vers 960- 1012 : Électre	Lamentations d'Électre.

QUATRIÈME ÉPISODE vers 1013-1245 : le coryphée, Électre, Oreste, Pylade	Oreste et Pylade reviennent : le frère et la sœur expriment leur douleur et leur tendresse ; les trois amis décident de se suicider. Avant de se résoudre à mourir, Pylade suggère à Oreste de tuer Ménélas et Hélène pour se venger ; il explique son plan. Électre propose de prendre Hermione en otage et de la tuer si Ménélas les menace.
QUATRIÈME STASIMON vers 1246-1310 : Électre, le chœur réparti par moitié (demi-chœur), Hélène	Pendant que le chœur fait le guet, Électre écoute à la porte les cris d'Hélène qu'Oreste et Pylade sont en train d'assassiner dans le palais.
EXODOS vers 1311-1368 : le coryphée, Électre, Hermione, Oreste	Arrivée d'Hermione : Électre la fait tomber dans le piège en la poussant à entrer dans le palais.
vers 1369-1504 : le phrygien, le coryphée	Un esclave phrygien, sorti du palais, raconte le meurtre d'Hélène.
vers 1505-1553 : Oreste, le phrygien, le coryphée	Oreste sort du palais et laisse la vie sauve à l'esclave. Il rentre avec Électre.
vers 1554-1624 : Ménélas, Oreste	Arrivée de Ménélas ; Oreste et Pylade apparaissent sur une terrasse : ils menacent de tuer Hermione et d'incendier le palais. Affrontement Ménélas-Oreste.
vers 1625-1681 : Apollon, Oreste, Ménélas, le coryphée	Apollon apparaît en *deus ex machina* : il calme tout le monde et proclame un heureux dénouement. Il annonce l'apothéose d'Hélène, désormais transformée en divinité protectrice des marins, marie Électre avec Pylade, Hermione avec Oreste et promet à ce dernier qu'il sera acquitté par le tribunal de l'Aréopage après s'être purifié en exil pendant un an.

EURIPIDE

ORESTE [1]

Prologue

ÉLECTRE

Il n'est point de disgrâce, si terrible qu'on la conçoive, point de souffrance, point de malheur infligé par les dieux, dont la nature humaine ne porte le poids accablant. Ainsi l'heureux Tantale (je ne le dis pas pour insulter à son sort), Tantale, issu, dit-on, de Zeus, demeure suspendu au milieu des airs, voyant avec effroi un rocher planer au-dessus de sa tête ; et, s'il subit ce châtiment [2], c'est qu'ayant obtenu l'honneur, lui simple mortel, de s'asseoir à la même table que les dieux (ainsi le publie la renommée), il ne sut pas contenir sa langue, ce qui est la plus honteuse infirmité. Il engendra Pélops, lequel eut pour fils Atrée, que la Moire, en filant la trame de sa vie, destina à vivre dans la discorde et mit aux prises avec Thyeste, son propre frère. Mais pourquoi m'arrêter sur des crimes que ma langue doit taire ? Atrée massacra les enfants de Thyeste, et les lui servit dans un festin. Du sang d'Atrée (je passe les événements intermédiaires) sortirent l'illustre Agamemnon, si toutefois il fut illustre, et Ménélas, qui eurent pour mère une Crétoise du nom d'Aérope. Celui-ci épousa Hélène, objet de la haine des dieux ; le roi Agamemnon contracta avec Clytemnestre une alliance dont la renommée s'est répandue parmi les Grecs.

1. Traduction d'Émile Pessonneaux (revue, corrigée et annotée par A. Collognat), in *Théâtre d'Euripide*, tome II, Charpentier et Cie éditeurs, 1898.

2. Euripide adopte ici une variante du célèbre supplice infligé à Tantale (voir p. 171).

De cette union naquirent trois filles, Chrysothémis, Iphigénie et moi, Électre, ainsi qu'un fils, Oreste, tous enfants de la plus impie des femmes, qui tua son époux après l'avoir enveloppé d'un vêtement sans issue : pourquoi ? Il ne sied pas à une vierge de le dire ; je laisse à d'autres le soin d'éclairer ce mystère. Faut-il accuser Apollon d'injustice ? Aussi bien est-ce lui qui persuada Oreste de tuer sa mère, celle qui l'a porté dans son sein, ce qui n'est pas glorieux aux yeux de tout le monde. Il l'a tuée cependant pour ne pas désobéir au dieu ; et moi je pris part au meurtre, autant qu'une femme en est capable ; et Pylade nous prêta le secours de son bras. Depuis lors, le malheureux Oreste est en proie à une maladie cruelle qui le mine ; le voilà gisant sur son lit, où le sang de sa mère l'agite par de sombres fureurs : car je crains de nommer les déesses Euménides [1] qui lui font sentir les tourments de l'épouvante. Voilà cinq jours déjà que ma mère a été égorgée et que son corps a été purifié par le feu ; durant tout ce temps, Oreste n'a pris aucune nourriture ni baigné son corps. Caché dans ses vêtements, quand le mal lui laisse quelque répit et qu'il a recouvré la raison, il pleure ; parfois, il saute d'un bond rapide hors de son lit, comme un jeune coursier qui a secoué le joug. Défense a été faite aux Argiens de nous recevoir sous leurs toits, de nous admettre au partage du feu, de nous adresser la parole, car nous sommes matricides ; et c'est aujourd'hui que la ville d'Argos prononcera si nous serons condamnés à périr lapidés ou à plonger dans notre gorge un glaive acéré. Nous conservons toutefois quelque espérance d'échapper au trépas : car Ménélas revient de Troie dans sa patrie, après avoir erré longtemps sur les mers, et son vaisseau, entré dans le port de Nauplie, mouille sur le rivage. Quant à Hélène, cause de tant de larmes, Ménélas a choisi la nuit pour l'envoyer à notre palais, de peur qu'en la voyant passer quelqu'un de ceux dont les enfants ont péri sous Ilion n'en vînt à la lapider.

1. Littéralement les Bienveillantes, appellation par euphémisme des Érinyes (voir « Érinus », p. 189).

Elle est là *(montrant le palais)*, pleurant sa sœur et les malheurs de sa maison. Toutefois, elle n'est pas sans consolation dans sa douleur : la jeune Hermione, que Ménélas avait laissée à la maison lorsqu'il fit voile pour Troie, et qu'il amena de Sparte et confia aux soins de ma mère, Hermione fait la joie d'Hélène et l'aide à oublier ses maux. Je regarde de tous côtés si je verrai Ménélas arriver : bien faible, d'ailleurs, l'appui sur lequel nous nous reposons, s'il ne devient pas notre sauveur. C'est une triste chose qu'une maison accablée par le malheur !

HÉLÈNE

Ô fille de Clytemnestre et d'Agamemnon, Électre, restée vierge depuis si longtemps, comment avez-vous pu, ton frère, le malheureux Oreste, et toi, devenir les meurtriers de votre mère ? car je ne crois pas me souiller en t'adressant la parole, attendu que je rejette le crime sur Apollon. Toutefois, je pleure sur le sort de Clytemnestre, ma sœur, que je n'ai point vue depuis le jour où je partis pour Ilion, comme j'y suis partie, par une fatalité des dieux ; et je déplore l'abandon où sa mort m'a laissée.

ÉLECTRE

Que te dirai-je, Hélène ? Regarde, et tu verras la postérité d'Agamemnon plongée dans le malheur. Moi, je veille, l'œil toujours ouvert, auprès de ce malheureux cadavre : car à peine un souffle léger anime-t-il son corps inanimé ; et je ne veux point paraître insulter à ses maux ; tandis que toi, heureuse Hélène, et ton heureux époux, vous venez trouver deux êtres également infortunés.

HÉLÈNE

Depuis combien de temps est-il étendu sur ce lit ?

ÉLECTRE

Depuis qu'il a versé le sang maternel.

HÉLÈNE

Ô malheureux ! Malheureuse aussi sa mère, d'avoir ainsi péri ! [...]

ÉLECTRE

Voici des amies qui viennent de nouveau s'associer à mes lamentations : peut-être vont-elles réveiller cet infortuné qui repose, et faire couler mes larmes, quand je verrai mon frère en proie au délire. Ô chères compagnes, marchez doucement, ne faites pas de bruit, qu'on ne vous entende pas. Votre zèle est affectueux, sans doute ; mais l'éveiller sera un malheur pour moi.

LE CHŒUR

Silence ! silence ! posez légèrement la plante de vos pieds, ne faites pas de bruit.

ÉLECTRE

Allez de ce côté, loin, bien loin du lit.

LE CHŒUR

Voilà ! j'obéis.

ÉLECTRE

Ah ! parle-moi, chère amie, d'un ton aussi doux que le souffle du léger roseau agité par le vent.

LE CHŒUR

Vois comme ma voix arrive douce dans l'intérieur du palais.

ÉLECTRE

C'est cela : baisse, baisse le ton ; avance doucement, doucement. Dis-moi le sujet qui t'amène : car il a fini par tomber sur ce lit et s'endormir.

LE CHŒUR

Comment va-t-il ? Réponds-moi, chère amie.

ÉLECTRE

Que dirai-je de sa destinée, de son malheur ? Il respire encore sans doute, mais il gémit faiblement.

LE CHŒUR

Que dis-tu ? L'infortuné !

ÉLECTRE

Tu le tueras, si, en l'éveillant, tu lui ravis le bienfait si doux du sommeil.

LE CHŒUR

Malheureux Oreste d'avoir commis sur l'ordre des dieux un détestable forfait ! Que je plains tes souffrances !

ÉLECTRE

Injuste fut Apollon, injuste l'oracle qu'il prononça, lorsque, assis sur le trépied de Thémis, il ordonna le meurtre affreux de ma mère.

LE CHŒUR

Vois-tu ? il vient de se mouvoir sous les vêtements qui le couvrent.

ÉLECTRE

C'est toi, malheureuse, qui l'as réveillé par tes cris répétés.

LE CHŒUR

J'ai cru qu'il dormait.

ÉLECTRE

Laisse-nous, et porte tes pas, sans bruit, hors du palais.

LE CHŒUR

Il sommeille.

ÉLECTRE

Tu dis vrai. Auguste déesse, Nuit auguste, qui dispenses le sommeil aux mortels accablés de travaux : sors de l'Érèbe ; viens, viens d'une aile rapide dans la maison d'Agamemnon ; en proie aux douleurs et à l'infortune, nous périssons, nous périssons ! – Vous avez fait du bruit. Silence ! silence ! que ta bouche reste muette, chère amie ; éloigne-toi donc du lit pour le laisser jouir en repos du sommeil.

LE CHŒUR

Dis, quelle sera la fin de ses maux ?

ÉLECTRE

La mort ; peut-il en être autrement ? Il refuse de prendre aucune nourriture.

LE CHŒUR

Il périra donc certainement.

ÉLECTRE

Apollon nous a sacrifiés en nous livrant une malheureuse victime que nous n'aurions pas dû frapper, la mère qui tua notre père.

LE CHŒUR

Son trépas fut juste, mais impie.

ÉLECTRE

Tu as tué, tu as été tuée, ô toi qui m'as donné la vie ! Ô ma mère, tu as fait périr et le père et ces enfants issus de ton sang ; et nous, pareils à des morts, nous avons cessé d'être. Toi, mon frère, tu ne comptes plus parmi les vivants ; et moi, la plus grande partie de ma vie se perd dans les lamentations, les gémissements et les larmes nocturnes. Infortunée ! je traîne une vie misérable, privée à jamais d'époux et d'enfants.

LE CORYPHÉE

Approche, Électre, et regarde ; je crains que ton frère ne soit mort à ton insu : car cette langueur si profonde m'inquiète.

ORESTE

Ô charme délicieux du sommeil, qui portes remède à la souffrance, que tu es venu à propos me faire sentir ta douceur ! Ô vénérable oubli des maux, que tu es une divinité sage et bien digne d'être invoquée par les malheureux ! Mais où étais-je donc, et comment suis-je arrivé en ces lieux ? Mon esprit a perdu la lucidité, et je ne me rappelle rien.

ÉLECTRE

Cher Oreste, avec quelle joie je t'ai vu t'assoupir ! Veux-tu que je touche et soulève ton corps ?

ORESTE

Oui, prends, prends-moi, et essuie l'écume figée sur mes lèvres et sur mes yeux.

ÉLECTRE

Voilà : l'office est doux à remplir, et la sœur ne refuse point à son frère malade les soins qu'il réclame.

ORESTE

Approche-moi de ton sein ; écarte de mon front mes cheveux desséchés : car mes yeux ne voient que faiblement.

ÉLECTRE

Ô pauvre tête, sale et échevelée, que l'eau n'a point rafraîchie depuis longtemps, comme ton aspect est devenu sauvage !

ORESTE

Étends-moi de nouveau sur ce lit ; quand la folie dont je souffre s'est calmée, j'ai les membres brisés et sans force.

ÉLECTRE

Voilà. Le lit est cher au malade ; si le séjour en est triste, il est pourtant nécessaire.

ORESTE

Remets-moi sur le côté, redresse mon corps : les malades sont difficiles à contenter, parce qu'ils ne savent que faire.

ÉLECTRE

Si tu posais le pied à terre et te remettais enfin à marcher ? En toutes choses le changement plaît.

ORESTE

Oui : c'est l'apparence de la santé ; et l'apparence a du bon où la réalité manque.

ÉLECTRE

Écoute maintenant, mon frère, tandis que les Érinyes te laissent l'usage de la raison.

ORESTE

Tu as du nouveau à me dire ? Si la nouvelle est bonne, je m'en réjouirai ; s'il doit en résulter quelque dommage, j'ai bien assez de malheurs.

ÉLECTRE

Ménélas, le frère de ton père, est arrivé : ses vaisseaux ont mouillé dans le port de Nauplie.

ORESTE

Qu'as-tu dit ? Vient-il apporter le salut à deux infortunés, lui qui est de notre sang et doit tant à notre père ?

ÉLECTRE

Il vient, n'en doute pas ; et, pour preuve, sache qu'il ramène Hélène des murs de Troie.

ORESTE

S'il eût échappé seul, son sort eût été plus digne d'envie ; s'il ramène Hélène, il revient accompagné d'un grand fléau.

ÉLECTRE

Tyndare a mis au jour des filles illustres par le blâme qu'elles ont encouru, et qui ont acquis une triste renommée en Grèce.

ORESTE

Toi, ne ressemble pas à ces méchantes femmes : tu le peux. Que tes sentiments soient conformes à ton langage.

ÉLECTRE

Hélas ! mon frère, ton œil se trouble ; tout à l'heure plein de sens, tu passes vite à la rage.

ORESTE

Ô ma mère, je t'en conjure, ne lance point contre moi ces vierges à l'œil sanglant, à la chevelure de serpents. Les voici, les voici, qui bondissent près de moi.

ÉLECTRE

Reste, infortuné, reste tranquille sur ta couche. Car tu ne vois rien de ce que tu crois sûrement voir.

ORESTE

Ô Apollon, elles me tueront, ces faces de chiennes, au regard fascinant, ces prêtresses d'Enfer, ces terribles déesses !

ÉLECTRE

Je ne te lâcherai pas, mais je veux t'entourer de mes bras et t'empêcher de te livrer à ces bonds furieux.

ORESTE

Lâche-moi : tu n'es qu'une Érinye toi-même, et tu me tiens par le milieu du corps pour me précipiter dans le Tartare.

ÉLECTRE

Malheureuse que je suis ! Quel secours attendre, quand les dieux sont contre nous ?

ORESTE

Donne-moi cet arc de corne, présent d'Apollon avec lequel ce dieu m'a dit de repousser les déesses, si elles m'épouvantaient de leur rage insensée.

ÉLECTRE

Une divinité sera-t-elle blessée par une main mortelle ?

ORESTE

Oui, si elle ne disparaît pas de mes yeux. N'entendez-vous pas ? Ne voyez-vous pas les traits ailés partir de mon arc infaillible ? Ah ! ah ! qu'attendez-vous ? Prenez votre vol dans l'éther ; allez accuser les oracles d'Apollon. Ah ! pourquoi suis-je épuisé et respiré-je si péniblement ? Où donc, où me suis-je élancé hors de ma couche ? Car je vois encore une fois le calme succéder à l'orage. Sœur, pourquoi pleures-tu, la tête cachée dans tes voiles ? Je rougis de t'associer à mes peines et d'importuner une jeune fille des ennuis de ma maladie. Ne te consume pas ainsi pour des maux qui sont les miens. Car, si tu as donné ton assentiment, c'est moi qui ai consommé le matricide. C'est Apollon que j'accuse, lui qui, après m'avoir poussé à l'acte le plus impie, m'a consolé par des paroles et non par des secours efficaces. Je suppose que mon père, si j'avais pu le voir et lui demander : « Faut-il tuer ma mère ? » eût étendu plus d'une fois vers moi des mains suppliantes et m'eût conjuré de ne pas plonger le glaive dans le sein qui m'enfanta, puisqu'il ne devait point par là recouvrer la lumière et que je mettrais le comble à mes maux. Et maintenant, chère sœur, découvre-toi et sèche tes larmes, quoique notre situation soit déplorable. Lorsque tu me vois m'abandonner au désespoir, apaise et console l'horreur et le désordre de mes sens ; et moi, quand tu gémis, moi je dois être là pour te reprendre tendrement : ceux qui s'aiment se doivent cet échange mutuel de bons offices. Va donc, infortunée, rentre dans le palais : étends-toi pour livrer au sommeil tes paupières fatiguées par l'insomnie ; prends quelque nourriture et rafraîchis ton corps par le bain. Car, si tu viens à me manquer ou que ton assiduité te rende malade, c'en est fait de nous : je n'ai que toi pour me secourir ; les autres, tu le vois, m'ont abandonné.

ÉLECTRE

Non, non : avec toi je suis décidée à mourir comme à vivre : c'est tout un. Si tu meurs, que ferai-je, moi faible femme ? Comment pourvoirai-je à mon salut, seule, sans frère, sans père, sans ami ? Mais si tu le veux, il faut obéir. Eh bien ! allonge-toi sur ton lit, et n'attache pas trop de créance aux terreurs qui te chassent de ta couche. Lors même qu'on n'est pas malade, il suffit qu'on croie l'être pour ressentir la fatigue et le trouble de la maladie.

(Elle entre dans le palais.)

[...]

Désarroi d'Électre et d'Oreste

LE CORYPHÉE

Voici ton frère qui s'avance sous le coup de la sentence de mort. Pylade, le plus fidèle des hommes, l'accompagne, comme le ferait un frère ; il dirige ses pas mal assurés, et marche à ses côtés avec une tendre sollicitude.

ÉLECTRE

Hélas ! je gémis en te voyant, mon frère, aux portes du tombeau, au pied du bûcher funéraire. Encore une fois, hélas ! en attachant sur toi mes regards pour la dernière fois, je sens ma raison qui s'égare.

ORESTE

Laisse aux femmes ces lamentations et résigne-toi en silence aux ordres du destin ; ils sont cruels, mais il faut néanmoins supporter les maux présents.

ÉLECTRE

Et comment puis-je me taire ? il ne nous est plus permis, infortunés que nous sommes, de contempler la lumière du soleil.

ORESTE

Ne me tue point par des plaintes : c'est assez de mourir par le vote des Argiens ; contente-toi des maux présents.

ÉLECTRE

Oh ! que je plains ta jeunesse, Oreste, et ton destin, et cette mort prématurée ! Tu meurs au moment où tu devrais vivre.

ORESTE

Au nom des dieux, ne me communique pas ta faiblesse ; ne m'attendris pas par le tableau de nos infortunes.

ÉLECTRE

Nous allons mourir : comment ne pas pleurer notre malheur ? Tous les hommes regrettent la douce existence.

ORESTE

C'est aujourd'hui le jour fatal : il faut attacher à notre cou le lacet mortel ou aiguiser le glaive.

ÉLECTRE

Tue-moi donc, mon frère, pour qu'aucun Argien, en me tuant, ne puisse attenter à la race d'Agamemnon.

ORESTE

C'est assez du sang de ma mère : je ne te tuerai pas, meurs de ta propre main et de la mort que tu voudras choisir.

ÉLECTRE

Soit ; mon trépas suivra de près le tien. Mais je veux te serrer dans mes bras.

ORESTE

Jouis de ce vain plaisir, si c'est un plaisir pour ceux qui vont mourir de se livrer à ces embrassements.

ÉLECTRE

Ô cher Oreste ! ô mon frère, nom le plus doux pour une sœur, toi qui n'es qu'une âme avec elle !

ORESTE

Tu vas me fendre le cœur : je veux te rendre ces tendres caresses. Et pourquoi en rougirais-je, infortuné ? Ô sein d'une sœur ! doux embrassements ! ce dernier entretien nous tient lieu, dans notre malheur, de famille et d'hyménée.

ÉLECTRE

Ah ! qu'un même fer, s'il est possible, nous immole tous deux ; qu'un même tombeau, fait de bois de cèdre, nous renferme !

ORESTE

Rien ne serait plus doux ; mais nous avons trop peu d'amis, tu le vois, pour espérer un tombeau commun.

ÉLECTRE

Et il n'a point parlé pour toi, il n'a point cherché à te soustraire à la mort, ce perfide Ménélas, l'homme qui a trahi mon père ?

ORESTE

Il n'a même point paru ; mais tournant vers le sceptre son espérance, il craignait de sauver les jours de ses amis. Eh bien ! mourons avec courage et comme il convient aux enfants d'Agamemnon. Moi, je montrerai à mes concitoyens la noblesse de ma race, en me perçant le cœur de mon épée ; toi, sache imiter ma fermeté.

[...]

ÉLECTRE

Ô mon père, viens à notre aide, si du fond de la terre tu entends tes enfants qui t'invoquent et qui meurent pour toi.

PYLADE

Ô toi, que la parenté unit à mon père, Agamemnon, entends aussi mes prières, et sauve tes enfants.

ORESTE

J'ai tué ma mère.

PYLADE

Moi, j'ai tenu le fer meurtrier.

ÉLECTRE

Et moi, je les ai encouragés, j'ai levé leurs scrupules.

ORESTE

Je t'ai vengé, mon père.

ÉLECTRE

Et moi, je ne t'ai pas trahi.

PYLADE

Sois donc sensible à ces plaintes, et sauve tes enfants.

ORESTE

Je t'offre mes larmes en libation.

ÉLECTRE

Et moi, mes plaintes.

LES CLÉS DE L'ŒUVRE

I

INDEX DES NOMS PROPRES
(personnages et lieux)

ACHÉRON : fleuve des Enfers.

ACHILLE : fils de la divinité marine Thétys et de Pelée, il est élevé par le Centaure Chiron ; chef des Myrmidons, il est le guerrier grec par excellence, l'invincible et « bouillant » héros de la guerre de Troie : vainqueur d'Hector qu'il tuera en combat singulier sous les remparts de la ville assiégée, il tombera cependant abattu par une flèche de Pâris dirigée par Apollon pour qu'elle atteigne son seul point vulnérable : le talon.

ADRASTE : roi d'Argos dont Polynice a épousé la fille ; c'est lui qui conduit, avec son gendre, l'expédition des sept chefs contre Thèbes.

AÉROPE : petite-fille de Minos, roi de Crète, épouse d'Atrée, mère d'Agamemnon et de Ménélas.

AGAMEMNON : fils d'Atrée, roi d'Argos et de Mycènes (voir « Les Atrides », p. 171).

ALPHÉE : fleuve qui borde le sanctuaire d'Olympie (en Élide).

AMPHIARAOS : cousin d'Adraste, trahi par son épouse Ériphyle pour un collier d'or, il fut tué dans une première expédition contre Thèbes.

AMPHION : a bâti les remparts de Thèbes selon la légende.

AMYMONE : fontaine près de Lerne, baptisée du nom de la fille de Cadmos qu'aima Poséidon.

ANTIGONE : fille d'Œdipe et de Jocaste.

APHRODITE (Vénus pour les Romains) : déesse de la beauté et de l'amour ; elle suscite les passions les plus dévastatrices : ainsi en offrant Hélène à Pâris pour qu'il lui accorde le prix de beauté, elle est à l'origine de la guerre de Troie.

APOLLON : fils de Zeus ; son sanctuaire de Delphes est le plus réputé du monde antique : on y vient de tous les pays pour consulter la Pythie, chargée de transmettre ses oracles, assise sur un trépied sacré. Les pèlerins espéraient ainsi connaître leur destin et obtenir du dieu purificateur l'expiation de leur faute.

ARCADIE : province au cœur du Péloponnèse.

ARÈS (Mars) : dieu de la guerre dont il personnifie la violence aveugle.

ARGOS : capitale du royaume d'Agamemnon.

ARTÉMIS (Diane) : sœur jumelle d'Apollon, déesse de la chasse.

ATHÉNA : fille chérie de Zeus, protectrice d'Athènes à qui elle a donné son nom. C'est elle qui instaure le tribunal de l'Aréopage pour juger Oreste.

ATHÈNES : capitale de l'Attique, organisée en cité par le roi Thésée.

ATRÉE : petit-fils de Tantale, il se dispute le trône de Mycènes avec son frère jumeau Thyeste ; ses fils et descendants s'appellent les Atrides (voir p. 171).

AULIS : bourgade portuaire de Béotie, face à l'île d'Eubée ; sa situation – rade bien abritée dans un détroit, à mi-chemin entre la Grèce du Nord et le Péloponnèse – en fait le point stratégique de rassemblement des armées grecques en partance pour Troie.

BACCHANTES : prêtresses de Dionysos, réputées pour leurs débordements furieux.

CASSANDRE : fille de Priam, roi de Troie, et d'Hécube ; Apollon lui a accordé le don de prophétie, mais assorti d'une terrible clause restrictive pour la punir de s'être dérobée à ses avances : elle est capable de prédire les événements, cependant personne ne la croit ! Échue en partage à Agamemnon qui la ramène dans son royaume d'Argos après la chute de Troie, elle est assassinée en même temps que lui.

CADMÉE : partie haute (acropole) et forteresse de la ville de Thèbes, ainsi nommée en souvenir de son fondateur Cadmos.

CADMOS : fils d'Agénor, roi de Phénicie, fondateur de Thèbes (voir « Les Labdacides », p. 179).

CASTOR : fils de Léda et de Tyndare, frère de Pollux (les Dioscures).

CÉCROPS : premier roi mythique de l'Attique ; il fonde le bourg de Cécropia qui deviendra ensuite Athènes.

CHRYSOTHÉMIS : fille aînée d'Agamemnon et de Clytemnestre.

CITHÉRON : montagne qui domine la plaine de Thèbes ; Œdipe y est abandonné.

CLYTEMNESTRE : fille de Tyndare, roi de Sparte, et de Léda ; épouse d'Agamemnon qu'elle assassine à son retour de Troie.

COLONE : petit village de l'Attique, près d'Athènes, où Œdipe vient finir ses jours.

CORINTHE : ville sur l'isthme qui sépare la Grèce continentale du Péloponnèse.

CRÉON : frère de Jocaste, il règne sur Thèbes après l'exil d'Œdipe ; c'est lui qui condamne à mort Antigone pour avoir enseveli son frère contre ses ordres.

CRISA : ville de Phocide où a été élevé Oreste en compagnie de Pylade.

CYCLOPES : ils passaient pour avoir construit les remparts monumentaux des citadelles du royaume d'Argos (Mycènes et Tyrinthe).

CYPRIS : épithète d'Aphrodite, surgie de la mer sur le rivage de l'île de Chypre.

DANAÏDES : les cinquante filles du roi Danaos.

DANAOS : fondateur d'Argos.

DARDANOS : fils de Zeus, héros éponyme de Troade (Dardanelles).

DELPHES : sanctuaire du dieu Apollon, très célèbre dans l'Antiquité pour ses oracles rendus par la Pythie.

DIONYSOS (Bacchus) : fils de Zeus, dieu de la vigne et de tous les débordements orgiaques ; son culte est à l'origine du théâtre (voir p. 196).

DIOSCURES : littéralement « fils de Zeus », ce sont les jumeaux Castor et Pollux, nés de Léda en même temps qu'Hélène et Clytemnestre.

DIRCÉ : fontaine à l'une des sept portes de Thèbes.

ÉGISTHE : fils incestueux de Thyeste.

ÉLECTRE : deuxième fille d'Agamemnon et de Clytemnestre.

ÉRÈBE : personnification des Ténèbres des Enfers.

ÉRINYES (Furies pour les Romains) : esprits femelles redoutables, elles incarnent le châtiment implacable des crimes (voir *Erinus*, p. 189).

ÉTÉOCLE : fils d'Œdipe et de Jocaste, frère d'Antigone.

EUMÉNIDES : littéralement « Bienveillantes » ; c'est ainsi qu'on appelle par euphémisme les Érinyes pour éviter de prononcer leur nom terrifiant.

GLAUCOS : divinité marine.

HADÈS (Pluton) : frère de Zeus, dieu des Enfers.

HÉCATE : déesse lunaire et infernale, souvent associée à Artémis.

HÉLÈNE : fille de Léda et de Zeus. Très tôt sa beauté attire toutes les convoitises : à l'âge de douze ans, elle est enlevée par Thésée qui veut faire d'elle sa femme, mais elle est délivrée par ses deux frères Castor et Pollux. Hélène devient ensuite la femme de Ménélas ; enlevée par Pâris qui l'a obtenue comme présent de la déesse Aphrodite, elle fournit le prétexte de l'expédition contre Troie.

HÉMON : fils de Créon, fiancé d'Antigone.

HÉRA (Junon) : sœur et épouse de Zeus, déesse protectrice du mariage, particulièrement honorée dans le royaume d'Argos.

HERMÈS (Mercure) : fils de Zeus, messager des dieux, protecteur des carrefours.

HERMIONE : fille unique de Ménélas et d'Hélène, fiancée par son père à son cousin Oreste avant la guerre de Troie. Mais au bout de plusieurs années de combat, Ménélas la promet au fils d'Achille car son intervention est indispensable pour la prise de la ville. Devenue l'épouse de Néoptolème, elle demeure stérile et persécute de sa haine jalouse Andromaque, la concubine de son mari qui lui a donné un fils, Molossos. Après la mort de Néoptolème, elle épouse le meurtrier de celui-ci, Oreste.

IDA : mont de Troade où Pâris garde les troupeaux et reçoit la visite des trois déesses qui se disputent le prix de beauté.

ILION : ville fondée par Ilos, grand-père de Priam ; elle porte aussi le nom de Troie en souvenir de Tros, père d'Ilos, héros éponyme du pays troyen.

INACHOS : dieu-fleuve d'Argolide, père d'Io.

IPHIGÉNIE : fille d'Agamemnon et de Clytemnestre ; sacrifiée à Aulis pour permettre aux Grecs de partir à Troie.

ISMÈNE : fille d'Œdipe et de Jocaste, sœur d'Antigone.

ISMÉNOS : fleuve de Béotie.

ITYS : fils de Procné (qui fut métamorphosé en rossignol après avoir tué celui-ci).

LABDACOS : grand-père d'Œdipe ; c'est de lui que la famille royale de Thèbes tire son nom (voir « Les Labdacides », p. 179).

LAÏOS : père d'Œdipe.

LATONE (ou Léto) : mère d'Apollon et d'Artémis.

LÉDA : épouse du roi de Sparte Tyndare ; s'étant unie la même nuit à son mari et à Zeus (métamorphosé en cygne pour la féconder), elle a mis au monde deux œufs contenant quatre enfants : Clytemnestre et Castor nés de Tyndare, Hélène et Pollux issus de l'union divine avec Zeus.

LERNE : région marécageuse de la côte est du Péloponnèse ; Hercule y tua l'hydre.

LOXIAS : « l'Oblique », épithète d'Apollon signifiant que ses décisions sont difficiles à comprendre « directement ».

MAÏA : nymphe mère d'Hermès.

MALÉE : cap du Péloponnèse.

MÉDUSE : la plus célèbre des trois Gorgones, dotée d'un regard pétrifiant ; sa tête, coupée par Persée, était considérée comme un trophée redoutable.

MÉNADES : littéralement « folles », femmes du cortège de Dionysos, saisies de transes inspirées par le dieu.

MÉNÉLAS : frère cadet d'Agamemnon, il est roi de Sparte ; c'est pour reprendre son épouse Hélène enlevée par Pâris qu'il appelle tous les princes de Grèce à mener une expédition contre Troie.

MÉNŒCÉE : père de Jocaste et de Créon ; c'est aussi le nom du fils de Créon dans *Les Phéniciennes* d'Euripide.

MOIRE / les MOIRES (les Parques en latin) : à l'origine, puissance divine représentant la « portion » affectée à chaque individu (voir *Moira*, p. 192) ; puis la Moire représentée sous la forme de trois divinités représentant la toute puissance du destin – aussi désignées par l'expression abstraite « les destins » –, appelées par antiphrase « celles qui épargnent » (latin *parcere*) parce que, précisément, elles n'épargnent personne. Elles sont représentées comme trois sœurs qui tissent la vie des hommes : Clotho, « la Fileuse », Lachésis, « le Sort », et Atropos, « l'Inflexible », mesurent la vie de chacun de la naissance à la mort à l'aide d'un brin de laine symboliquement filé par la première, dévidé par la seconde et coupé par la troisième.

MUSES : les neuf filles de Zeus, compagnes d'Apollon, qui représentent les arts.

MYCÈNES : place forte du royaume d'Argos.

MYRTILOS : cocher du roi d'Élide Œnomaos qui aida Pélops à le vaincre dans une course de chars.

NAUPLIE : petite ville sur la côte d'Argolide ; elle servait de port à Mycènes et à Argos.

NÉMÉSIS : personnification de la Justice.

NÉRÉE : divinité marine.

NIOBÉ : fille de Tantale, sœur de Pélops ; elle eut l'imprudence de proclamer que ses sept fils et ses sept filles la rendaient supérieure à Léto qui n'avait qu'Apollon et Artémis. Ceux-ci vengèrent l'insulte en massacrant tous ses enfants ; elle-même fut métamorphosée en rocher.

ŒDIPE : littéralement « Pieds enflés », fils de Laïos et de Jocaste.

OLYMPE : montagne du nord de la Grèce qui passe pour le séjour des dieux (dits Olympiens).

ORESTE : fils d'Agamemnon et de Clytemnestre.

PALLAS : épithète rituelle de la déesse Athéna, protectrice d'Athènes.

PÂRIS : fils cadet de Priam et d'Hécube ; sa décision d'offrir le prix de beauté à Aphrodite et l'enlèvement d'Hélène qui en découle sont à l'origine de la guerre de Troie.

PÉLASGES : littéralement « peuple de la mer », passent pour les ancêtres des Grecs.

PÉLOPS : fils de Tantale, il est le père d'Atrée et de Thyeste.

PERSÉPHONE : fille de Zeus et de Déméter, enlevée par Hadès qui en a fait son épouse aux Enfers.

PHÉBUS (Phoibos, Phœbus) : « le Brillant », épithète d'Apollon.

PHOCIDE : province de Delphes.

PHRYGIE : région de l'Asie Mineure qui constitue l'arrière-pays de Troie.

POLLUX : frère de Castor, l'autre Dioscure.

POLYBE : roi de Corinthe qui a élevé Œdipe.

POLYDORE : père de Labdacos.

POLYNICE : fils d'Œdipe et de Jocaste, frère d'Antigone.

POSÉIDON : frère de Zeus, dieu de la mer.

PRIAM : roi de Troie ; après la prise de sa ville par les Grecs, il est égorgé par le fils d'Achille.

PROTÉE : roi d'Égypte ; Hélène aurait été accueillie chez lui au lieu d'aller à Troie, après son enlèvement par Pâris.

PYLADE : fils de Strophios, roi en Phocide, et d'Anaxibie, sœur d'Agamemnon, il est l'ami inséparable de son cousin Oreste qui a été élevé avec lui ; il l'accompagne partout et finit par épouser Électre.

SCAMANDRE : fleuve de la plaine de Troie.

SÉMÉLÉ : fille de Cadmos, mère de Dionysos.

SIMOÏS : fleuve de la plaine de Troie.

SPARTE : capitale du royaume de Tyndare, puis de Ménélas ; la ville (autrement appelée Lacédémone) est la grande rivale d'Athènes.

SPHINX : fille d'Échidna, la Vipère (qui s'est unie à son propre « fils », le chien Orthros), c'est un monstre femelle (d'où son genre féminin en grec ; on devrait donc dire *la* Sphinge), à tête de femme sur un corps de lion doté d'ailes.

SIPYLE : montagne de Phrygie sur laquelle Niobé fut transformée en rocher.

STROPHIOS : roi en Phocide, père de Pylade.

TANAOS : fleuve du Péloponnèse.

TANTALE : fils de Zeus, roi de Lydie, il est à l'origine de la terrible malédiction qui poursuit ses descendants, les Atrides (voir p. 171).

TARTARE : le fond des Enfers où sont enfermés les condamnés à des supplices éternels, tel Tantale.

THÈBES : capitale de la Béotie, fondée par Cadmos.

THÉMIS : déesse incarnant la Loi divine.

THESSALIE : province du nord de la Grèce.

THYESTE : frère jumeau d'Atrée, il est le père d'Égisthe.

TROIE : capitale du royaume de Troade, fondée par Ilos, d'où son autre nom d'Ilion.

TYNDARE : roi de Sparte, époux de Léda ; il est le père « humain » des Dioscures, de Clytemnestre et d'Hélène.

ZÉTHOS : frère jumeau d'Amphion.

ZEUS : fils du Titan Cronos, il est considéré comme « le roi des dieux », maître de l'Olympe.

II

ATRIDES ET LABDACIDES

« On se repasse la catastrophe comme
un bijou de famille [1]. »

La famille des Atrides et celle des Labdacides – qui tirent leur nom de l'un de leurs membres, Atrée et Labdacos [2] – sont les deux plus célèbres dynasties de la mythologie grecque : elles sont l'archétype de la « famille à histoires » frappée par une fatale malédiction à répétition qui ne cessera d'alimenter l'univers littéraire de la tragédie. Électre et Antigone appartiennent à la dernière génération de ces familles.

1. J.-M. Domenach, *Le Retour du tragique*, Points Seuil, Paris, 1967, p. 25.

2. En grec, le suffixe *-ide* signifie « fils de » (Atride = fils d'Atrée), et par suite « descendant de » en général. Pour tous les noms propres, se reporter à l'index, p. 163.

LES ATRIDES : TABLEAU GÉNÉALOGIQUE

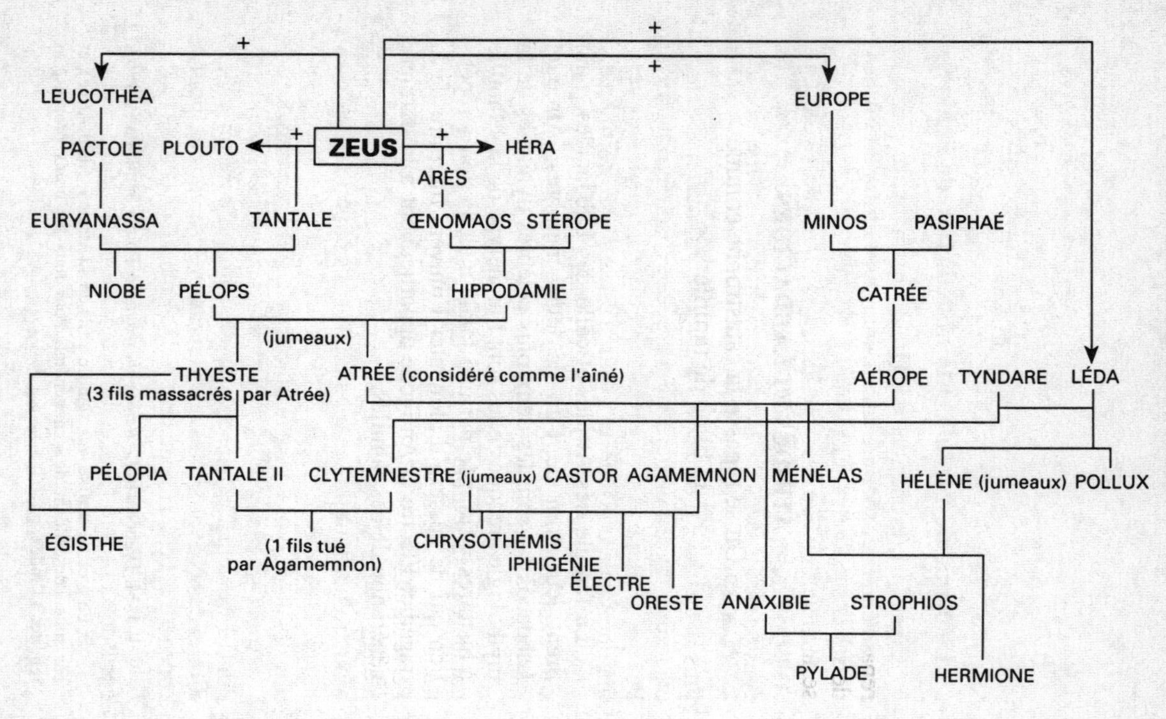

LES ATRIDES

Le crime de Tantale et la malédiction de Pélops

C'est le présomptueux Tantale qui inaugure par un repas scandaleux offert aux Immortels l'étrange cuisine de ses descendants qui s'aiment, se tuent, se dépècent et se mangent en famille. Fils de Zeus et roi de Lydie en Asie Mineure, il est invité à la table des dieux où il consomme nectar et ambroisie, nourriture divine qui le rend immortel mais qu'il dérobe pour l'offrir aux mortels. Puis il met les Olympiens à l'épreuve en leur proposant en retour une nourriture monstrueuse : son propre fils Pélops, découpé et servi en ragoût ! Cet orgueil démesuré, marque fatale de l'*hubris* [1] vaut à Tantale une éternité de supplices dans le Tartare où il éprouvera une faim et une soif impossibles à assouvir devant une table garnie de mets se dérobant sans cesse à son approche.

Tous les Olympiens, horrifiés, ont reconnu la chair humaine qu'ils recrachent, à l'exception de Déméter : distraite par le chagrin dû à la disparition de sa fille Perséphone, ou tout simplement affamée, la déesse mange une épaule du malheureux jeune homme sans la moindre hésitation. Les dieux, qui ont châtié le père criminel, ressuscitent le fils dont ils reconstituent le corps : une épaule d'ivoire poli remplacera le morceau englouti.

Après sa résurrection, Pélops est aimé de Poséidon dont il devient l'échanson ; le dieu lui procure un char d'or et des chevaux ailés qui vont assurer sa victoire pour conquérir la belle Hippodamie (« Dompteuse de chevaux »), fille d'Œnomaos, roi de Pise en Élide. Passionnément épris de sa propre fille, celui-ci défie tous les jeunes gens

1. Les notions directement issues du grec sont expliquées p. 185.

venus solliciter sa main en leur proposant une course de chars mortelle. En effet, toujours vainqueur grâce à un attelage offert par le dieu Arès, le roi coupe la tête de chaque prétendant et la cloue sur sa porte pour décourager les suivants ! Pélops se présente donc, après douze concurrents malheureux, et aussitôt Hippodamie s'éprend de lui. Trahissant son père, elle soudoie son cocher Myrtilos, amoureux d'elle, pour qu'il sabote son char avant la course : il en remplace les chevilles de bois par des chevilles de cire qui ne tardent pas à céder après le départ. L'accident coûte la vie à Œnomaos et donne à Pélops le royaume de Pise avec la main d'Hippodamie. Mais, mal payé de ses services, Myrtilos est bientôt tué par le nouveau roi, soit que le cocher ait tenté de violer Hippodamie, soit que la reine l'ait injustement accusé d'avoir abusé d'elle. En mourant, Myrtilos profère des malédictions contre la descendance du couple royal, contribuant ainsi à augmenter les malheurs qui vont s'abattre sur les Atrides.

Atrée et Thyeste, les frères ennemis

Parmi les nombreux enfants de Pélops et d'Hippodamie se trouvent les jumeaux Atrée et Thyeste : ils jouent les premiers rôles dans la transmission du pouvoir à Mycènes dont le trône sera l'objet de luttes sans cesse renaissantes entre leurs descendants.

En effet la ville d'Argolide, privée de roi après la mort d'Eurysthée, décide, sur les conseils de l'oracle, de remettre le pouvoir à un fils de Pélops : des jumeaux, depuis longtemps réfugiés dans la fabuleuse cité « riche en or », qui deviendra roi ? Atrée, l'aîné, le possesseur légitime d'un mystérieux agneau à la toison d'or, considéré comme emblème monarchique, l'époux d'Aérope, petite-fille de Minos, fondateur de la royauté crétoise ? ou Thyeste, le cadet, le voleur de cette même toison et l'amant d'Aérope ? Le peuple choisit d'abord Thyeste qui brandit le trophée symbolique dérobé avec l'aide de sa maîtresse. Mais Zeus lui-même accomplit un prodige en faveur d'Atrée : le soleil et les astres reculent dans leur course pour se coucher à l'est. Thyeste abdique et s'exile, Atrée devient roi. Cependant sa démesure compromet rapidement sa légitimité : Thyeste, rappelé à Mycènes sous prétexte de partager le pouvoir, se voit offrir à manger les morceaux de ses trois fils massacrés par Atrée, alors même qu'ils avaient tenté de trouver refuge auprès de l'autel de Zeus. Lorsque Thyeste comprend quelle nourriture monstrueuse il a avalée en découvrant les têtes coupées de ses enfants, il accable son frère de malédictions et s'enfuit.

Pour obtenir un fils qui le vengera, sur le conseil de l'oracle, Thyeste viole sa propre fille Pélopia sans se faire reconnaître, pendant une cérémonie sacrée dont elle est la prêtresse : Égisthe naît de cette union. Pélopia, enceinte, revient à Mycènes ; Atrée l'épouse puis adopte l'enfant. Une fois de plus la succession au trône s'annonce difficile : l'héritier sera-t-il Agamemnon, fils aîné d'Atrée et de sa première épouse, Aérope, qu'il a précipitée dans la mer pour la punir de sa trahison, ou Égisthe, fils adoptif né de la seconde épouse, issu de la branche cadette et fruit d'une union incestueuse dont on ignore le secret ?

Agamemnon et Ménélas, les frères chefs de guerre

Atrée charge Agamemnon et son frère cadet Ménélas de ramener Thyeste à Mycènes où il est emprisonné ; Égisthe reçoit l'ordre de l'exécuter. C'est alors que le père reconnaît le fils grâce à l'épée que celui-ci brandit pour le mettre à mort : c'est celle que Pélopia a dérobée à son agresseur inconnu au moment du viol et confiée ensuite à son fils. Fou de rage, Égisthe tue Atrée et rétablit Thyeste sur le trône de Mycènes.

Face au nouveau roi, le cadet, l'anthropophage, l'incestueux, le meurtrier de son frère, se dresse désormais Agamemnon, l'aîné de la branche aînée, fils légitime pur de tout crime – pour l'instant ! : il va chercher l'appui de Tyndare, roi de Sparte où il s'est réfugié avec Ménélas. Celui-ci les aide à exiler définitivement Thyeste et les deux frères s'empressent d'épouser les deux princesses, filles jumelles de Léda, la femme de Tyndare. Agamemnon, qui vient de reconquérir le royaume de Mycènes, choisit Clytemnestre, après avoir tué son premier époux nommé Tantale (un autre fils du roi Thyeste), ainsi que leur enfant nouveau-né. Ménélas obtient Hélène dont le véritable père est Zeus. Sur le conseil d'Ulysse, Tyndare a pris la précaution d'imposer aux nombreux prétendants qui convoitaient sa fille pour sa légendaire beauté le serment de porter secours quoi qu'il arrive à celui qu'Hélène épouserait.

Installé sur le trône de Sparte grâce à l'abdication du vieux Tyndare en sa faveur, Ménélas reçoit avec largesse l'ambassade de Pâris, fils de Priam, roi de Troie. Or celui-ci est venu chercher sa récompense. En effet, dans la querelle qui opposa les trois déesses pour le prix de beauté lancé par Éris, la déesse de la Discorde, le prince troyen, choisi comme arbitre pour offrir la pomme d'or « à la plus belle », a dédaigné les cadeaux d'Héra et d'Athéna pour accorder ses suffrages à Aphrodite. En retour la déesse de l'amour lui a promis la plus belle femme du monde : Hélène. Tandis que Ménélas a imprudemment quitté le palais pour se rendre en Crète aux funérailles de son grand-père, Pâris enlève Hélène en emportant aussi à Troie les précieux trésors du roi. Diverses ambassades, dont celle d'Ulysse et de Ménélas lui-même, venus à Troie pour réclamer la fugitive, restent sans succès. Au nom de l'ancien serment prêté à Tyndare, le mari bafoué demande alors l'aide de son frère aîné et convoque tous les anciens prétendants d'Hélène pour venger l'affront qui, selon lui, déshonore la Grèce tout entière.

Agamemnon est choisi comme commandant en chef de l'expédition contre Troie, grâce à son renom et à une propagande habile ! Devenu « Roi des rois », auréolé d'une majesté triomphante, il doit affronter une terrible décision personnelle : ordonner le sacrifice de sa fille Iphigénie, réclamé par le devin Calchas pour apaiser le courroux de la déesse Artémis, et permettre ainsi à la flotte grecque de quitter la rade d'Aulis où l'absence de vents la tient désespérément immobilisée (Euripide, *Iphigénie à Aulis*).

La haine de Clytemnestre

La disparition d'Iphigénie, dont le sacrifice a finalement été accepté par Agamemnon, ne fait qu'accroître la haine inexpiable de Clytemnestre contre son mari. Après le départ du roi, elle se laisse séduire par son cousin Égisthe, qu'elle met dans son lit et sur le trône. Mycènes appartient désormais au concubin, au cadet, fils de l'inceste, qui deviendra meurtrier du fils d'Atrée comme il l'a été d'Atrée lui-même.

Après la chute de Troie, les vainqueurs grecs prennent le chemin du retour. Dès son arrivée à Mycènes, Agamemnon tombe sous les coups d'Égisthe. Le meurtre est évoqué trois fois dans l'*Odyssée* : tout d'abord, Athéna apprend à Télémaque qu'Agamemnon a péri victime de « la perfidie d'Égisthe et de Clytemnestre » (Homère, *Odyssée*, chant III, vers 234-235, traduction Leconte de Lisle, Pocket Classiques, n° 6018, p. 66), tandis que le vieux Nestor lui raconte comment Égisthe avait auparavant réussi à séduire Clytemnestre (vers 254-328, *ibid.*, pp. 66-68).

Ensuite c'est Protée, l'étonnant « Vieillard de la Mer » aux multiples métamorphoses capable de « lire » la vérité, qui raconte à Ménélas le déroulement du meurtre de son frère : « Agamemnon, joyeux, descendit sur la terre de la patrie, et il la baisait, et il versait des larmes abondantes parce qu'il l'avait revue avec joie. Mais une sentinelle le vit du haut d'un rocher où le traître Égisthe l'avait placée [...] ; elle se hâta d'aller l'annoncer, dans ses demeures, au prince des peuples. Aussitôt Égisthe médita une embûche rusée, et il choisit, parmi le peuple, vingt hommes très braves, et il les plaça en embuscade, et, d'un autre côté, il ordonna de préparer un repas. Et lui-même il invita, méditant de honteuses actions, le prince des peuples Agamemnon à le suivre avec ses chevaux et ses chars. Et il mena ainsi à la mort l'Atride imprudent, et il le tua pendant le repas, comme on égorge un bœuf à l'étable » (chant IV, vers 530-536, *ibid.*, pp. 89-90).

Enfin, l'ombre d'Agamemnon elle-même, surgie des Enfers, raconte sa propre mort à Ulysse en insistant sur la complicité de son épouse : « Égisthe m'a infligé la mort à l'aide de ma femme perfide. M'ayant convié à un repas dans la demeure, il m'a tué comme un bœuf à l'étable. J'ai subi ainsi une très lamentable mort. Et, autour de moi, mes compagnons ont été égorgés comme des porcs [...]. Et nous gisions dans les demeures, parmi les cratères et les tables chargées, et toute la salle était souillée de sang. Et j'entendais la voix lamentable de la fille de Priam, Cassandre, que la perfide Clytemnestre égorgeait auprès de moi. Et comme j'étais étendu mourant, je soulevai mes mains vers mon épée ; mais la femme aux yeux de chien s'éloigna et elle ne voulut point fermer mes yeux et ma bouche au moment où je descendais dans la demeure d'Hadès. Rien n'est plus cruel, ni plus impie qu'une femme qui a pu méditer de tels crimes. [...] Cette femme couvrira de sa honte toutes les autres femmes futures, et même celles qui auront la sagesse en partage » (chant XI, vers 409-433, *ibid.*, pp. 198-199).

Des diverses versions du meurtre raconté par la postérité homérique, on retient surtout celle où le roi est frappé dans son bain alors que, empêtré dans la chemise offerte par sa femme (elle en a cousu les manches), il ne peut se défendre. Complice de cette mise à mort, Clytemnestre y participe plus ou moins activement. Elle tue également Cassandre, la fille du roi de Troie, qu'Agamemnon a ramenée dans son butin et dont elle craint la rivalité amoureuse (Eschyle, *Agamemnon*).

La vengeance d'Électre et d'Oreste

Après le meurtre de son père, Électre échappe de peu à la mort et sauve le petit Oreste des mains des meurtriers pour le confier en secret à son précepteur qui l'emmène chez un oncle, roi en Phocide. Ce dernier l'élève avec son propre fils Pylade : ainsi se noue une amitié légendaire qui rend les deux jeunes gens inséparables. Cependant, esclave et prisonnière dans le palais des usurpateurs, Électre médite la revanche qui va déterminer désormais toute sa conduite. Alors que la guerre de Troie l'a privée d'un père qu'elle connaît à peine, qui a sacrifié sa sœur Iphigénie, mais dont elle a fait une sorte d'idole, elle ne vit plus que pour attendre Oreste et venger Agamemnon. Espérant détourner le sort, Égisthe lui a fait épouser un brave paysan installé loin de la ville (c'est la version choisie par Euripide), mais rien ne peut arrêter l'ancestrale malédiction qui réclame le sang pour le sang.

Parvenu à l'âge d'homme, Oreste, qui a consulté l'oracle de Delphes, se voit désigné par Apollon pour revenir à Mycènes venger le meurtre de son père. Électre, demeurée chaste et farouche, reconnaît son frère venu comme elle se recueillir sur la tombe de leur père. Ensemble, ils mettent la vengeance à exécution (Eschyle, *Les Choéphores* ; Sophocle, *Électre* ; Euripide, *Électre*). Saisi de folie après le matricide, Oreste est poursuivi par les implacables Érinyes, ces « chiennes-serpents » qui pourchassent les meurtriers, et menacé d'être exécuté par les habitants d'Argos. C'est à ce moment-là que surviennent Ménélas et Hélène (le roi de Sparte a récupéré sa femme dont la fatale beauté lui a fait oublier tout désir de vengeance et il a mis plusieurs années à rentrer en Grèce) : après un séjour en Égypte, ils arrivent à Nauplie cinq jours après le meurtre de Clytemnestre (Euripide, *Oreste*).

Oreste n'est délivré des Érinyes que sur l'intervention d'Athéna, grâce à la sentence du premier tribunal athénien, l'Aréopage (Eschyle, *Les Euménides*). Son acquittement manifeste d'une manière symbolique et exemplaire la fin de la malédiction familiale, voulue par le nouvel ordre des Olympiens, en même temps que la suprématie d'une filiation masculine et légitime pour l'héritage d'un pouvoir exclusivement dévolu à la branche aînée. Quant à Électre, elle épouse Pylade, qu'elle accompagne en Phocide.

La fin de la malédiction

Pour être définitivement purifié, Oreste doit encore se rendre en Tauride sur l'ordre d'Apollon, afin de ramener la statue d'Artémis qui fait l'objet d'un culte barbare dans ce lointain pays. Dès qu'ils accostent aux confins de la mer Noire, Oreste et son inséparable Pylade sont faits prisonniers car tous les étrangers sont promis en sacrifice humain à la déesse chasseresse. Or la prêtresse chargée de la sanglante cérémonie n'est autre que la propre sœur d'Oreste, Iphigénie, elle-même autrefois vouée au sacrifice puis sauvée par Artémis. La jeune fille reconnaît son frère et son ami, les aide à s'emparer de la statue, et s'enfuit avec eux vers la Grèce (Euripide, *Iphigénie en Tauride*).

Oreste décide alors d'enlever Hermione, sa cousine, qui lui avait été promise alors qu'ils étaient encore enfants, mais que son père avait fiancée, à Troie, au fils d'Achille, Néoptolème dit Pyrrhus. Débarrassé de son rival dont certaines légendes lui attribuent le meurtre à Delphes, Oreste épouse Hermione qui lui donne un fils. Roi de Mycènes et d'Argos, il règne aussi sur Sparte comme successeur de Ménélas. Peu de temps avant sa mort, la peste ravage son royaume ; pour y mettre fin, les dieux réclament le rétablissement des villes détruites en Asie pendant la guerre de Troie et des cultes qui leur y étaient rendus. Aussi Oreste envoie-t-il des colonies de bâtisseurs en Asie Mineure pour assurer cette reconstruction. Mort très âgé, à quatre-vingt-dix ans, selon la légende, il est entouré d'honneurs divins et enterré à Tégée en Arcadie.

Ainsi s'achève par le pardon et l'apaisement accordé à ses derniers représentants l'ancestrale malédiction des Atrides.

LES LABDACIDES

LES LABBACADIES : TABLEAU GÉNÉALOGIQUE

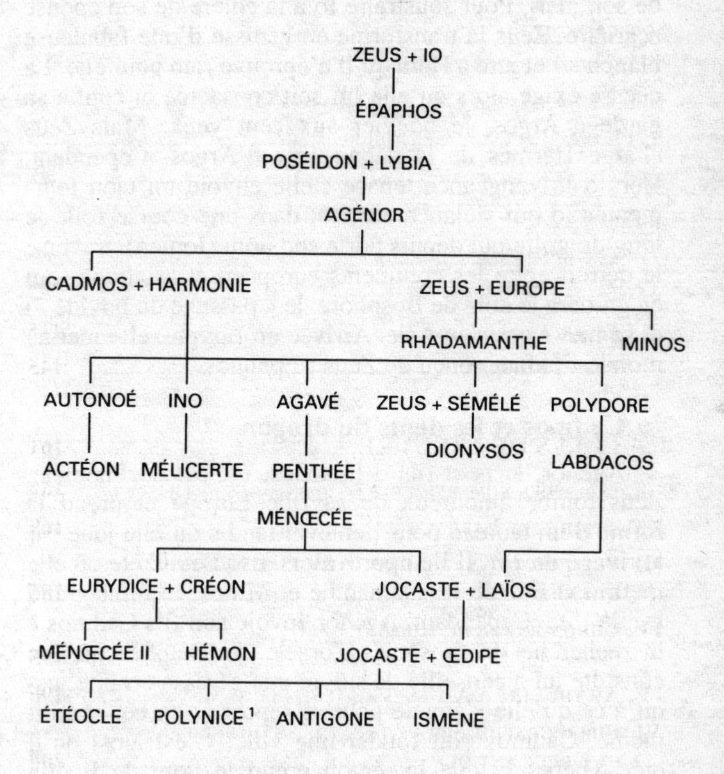

1. Il est considéré comme l'aîné par Sophocle dans *Œdipe à Colone*.

Histoire de vache

C'est une histoire d'amour et de jalousie qui est à l'origine de la « saga » familiale : l'amour de Zeus pour la belle Io, prêtresse d'Héra à Argos, et la jalousie de cette même Héra, furieuse (comme d'habitude) des infidélités de son mari. Pour soustraire Io à la colère de son épouse acariâtre, Zeus la transforme en génisse d'une fabuleuse blancheur et jure à Héra qu'il n'éprouve rien pour elle. La déesse exige alors qu'elle lui soit consacrée et confie sa garde à Argos, le bouvier aux cent yeux. Mais Zeus charge Hermès de la débarrasser d'Argos. Cependant, Héra a la vengeance tenace : elle envoie un taon tourmenter Io qui s'élance aussitôt dans une course folle le long du golfe qui depuis porte son nom (Ionien), traverse le détroit entre les continents européen et asiatique (qui en gardera le nom de Bosphore, le « passage du bovidé ») et se met à errer en Asie. Arrivée en Égypte, elle met au monde l'enfant conçu de Zeus : Épaphos.

Cadmos et les dents du dragon

Agénor, le petit-fils d'Épaphos, est roi de Phénicie. Zeus tombe amoureux de sa fille Europe et prend la forme d'un taureau pour l'enlever tandis qu'elle joue sur le rivage de Tyr. Il l'emporte alors jusqu'en Crète où elle mettra au monde Rhadamanthe et Minos, le futur grand roi de l'île. Cependant, Agénor envoie son fils Cadmos à la recherche de sa sœur. L'oracle de Delphes qu'il a consulté lui a conseillé de suivre une génisse errante jusqu'à ce qu'elle s'étende pour se reposer : en cet endroit même, Cadmos doit fonder une ville. C'est ainsi qu'il crée Thèbes et que la région prend le nom de Béotie (« pays de la génisse »).

Mais un terrible dragon garde la seule source des environs : Cadmos le tue et plante ses dents dans le sol sur l'ordre de la déesse Athéna. Surgissent alors des hommes tout armés qui s'entretuent ; seuls cinq d'entre eux échappent au massacre et deviennent les compagnons de

Cadmos. Ce sont les ancêtres des grandes familles de Thèbes, que l'on appelle les Spartoï, c'est-à-dire les « Semés ». Cadmos épouse Harmonie, fille d'Arès, le dieu de la guerre. Ils auront un fils (Polydore) et quatre filles.

La revanche de Dionysos

Sémélé, l'une des filles de Cadmos, est aimée de Zeus ; or, l'imprudente, inspirée par un conseil d'Héra (toujours dangereusement jalouse !), lui demande de lui apparaître en majesté. Zeus se manifeste donc dans tout l'éclat de sa foudre et Sémélé meurt aussitôt foudroyée. Cependant Zeus a retiré l'enfant qu'elle attendait pour le plonger dans sa propre cuisse où il finira sa gestation ! Le moment venu, naît ainsi Dionysos (« né de la cuisse de Zeus/Jupiter ») qui deviendra le dieu du vin, de la fête orgiaque et du théâtre.

Cependant, à Thèbes, son cousin Penthée, fils d'Agavé, ne veut pas rendre un culte à ce dieu qu'il juge trop perturbateur. Dionysos se venge en l'entraînant sur le mont Cithéron où se déchaînent ses prêtresses, les Bacchantes. Penthée est alors déchiqueté par les femmes en folie, dont sa propre mère Agavé qui brandit sa tête comme un trophée jusqu'au moment où elle comprend l'horreur de son acte.

C'est le petit-fils de Cadmos, Labdacos, qui donne son nom à la dynastie thébaine. Son fils Laïos est le père d'Œdipe.

Œdipe : de la culpabilité à la responsabilité

Dans cette famille déjà lourdement chargée par l'*Atè* (voir p. 187), c'est surtout le personnage d'Œdipe qui fournit une abondante matière tragique. Tantôt victime prédestinée, tantôt héros responsable de ses actes, il traverse la littérature occidentale comme la figure emblématique de la « faute » tragique et de son corollaire, le fameux « complexe » auquel Freud a donné son nom

(« La légende grecque a saisi une compulsion que tous reconnaissent parce que tous l'ont ressentie », S. Freud, lettre à Fliess du 15 octobre 1897).

Alors que dans l'*Iliade*, seules sont mentionnées les funérailles d'Œdipe, tué au combat et enterré avec les honneurs royaux en terre thébaine (chant XXIII, vers 679-680), l'*Odyssée* fixe la matière du tragique écheveau familial. C'est Ulysse qui raconte comment, parvenu au bord des Enfers, il a vu apparaître le fantôme d'Épicaste (Jocaste) : « Je vis la mère d'Œdipe, la belle Épicaste qui, dans l'ignorance de son esprit, commit un acte affreux ; elle épousa son propre fils. Celui-ci, après avoir tué son père, devint le mari de sa mère. Mais bientôt les dieux révélèrent ces choses parmi les hommes. Lui, dans l'aimable Thèbes, régnait sur les Cadméens, mais frappé de maux cruels par la volonté des dieux. Quant à la reine, elle descendit chez le puissant Hadès aux portes solidement closes, car elle avait, en proie à la douleur, attaché un lacet au plafond élevé de son palais. À son fils elle laissa en héritage les tourments sans nombre que déchaînent les Érinyes d'une mère » (chant XI, vers 271-280, Pocket Classiques, n° 6018, pp.194-195).

Certains auteurs postérieurs trouvent une raison à la malédiction qui le frappe. Ils en situent l'origine dans l'*hubris* paternelle : Laïos a enlevé puis violé le plus jeune fils de Pélops, Chrysippos, dont il était tombé amoureux. C'est cet acte impie qui aurait fait condamner le roi de Thèbes par l'oracle de Delphes : « Crains de procréer des enfants contre le gré des dieux. Car, si tu engendres un fils, ce fils te tuera, et toute ta maison s'éteindra dans le sang » (Euripide, *Les Phéniciennes*, vers 18-20). Ce serait donc la transgression de l'ordre divin qui charge Œdipe du poids de la dette à payer. Cependant, Sophocle *(Œdipe roi)* et Euripide *(Les Phéniciennes)* ne disent rien de la « faute » de Laïos.

Laïos épouse Jocaste, une descendante des « Semés », mais ne respecte pas l'oracle : Jocaste met au monde un fils que le roi fait abandonner dès la naissance sur le mont

Cithéron. Recueilli par un berger qui le nomme Œdipe (« Pieds enflés », du fait qu'il l'a découvert avec les chevilles étroitement attachées par des liens), il est élevé par le roi de Corinthe, jusqu'au jour où il tue un vieillard avec qui il s'est disputé à un carrefour où leurs chars se sont heurtés. Œdipe ignore qu'il s'agit de son père et poursuit sa route. Il délivre alors Thèbes de la terrible menace du monstre appelé Sphinx dont il résout la fameuse énigme : « Quel est l'animal qui a quatre pattes le matin, deux à midi et trois le soir ? » (Réponse : l'homme.) En récompense, il obtient la main de la reine Jocaste, sans savoir qu'il s'agit de sa mère. De leur union naissent deux fils, Étéocle et Polynice, et deux filles, Antigone et Ismène.

Œdipe découvre progressivement la terrible malédiction – inceste et parricide – dont il est la victime ignorante. Horrifié, il se crève les yeux, tandis que Jocaste se pend (*Œdipe roi* de Sophocle). Il devient alors un proscrit impur, une souillure *(miasma)* au sens fort du terme « miasme », que tous rejettent, jusqu'à ce qu'il trouve enfin le soulagement d'une mort paisible dans le bourg de Colone à Sophocle (*Œdipe à Colone* de Sophocle). Pour notre sensibilité moderne, ses « fautes » pourraient être graduées selon une responsabilité croissante : l'inceste qu'il commet en toute innocence puisqu'il ignore tout de ses origines ; le parricide où il se conduit avec brutalité, mais après avoir été provoqué ; la malédiction impitoyable qu'il lance contre ses fils pour les punir de l'avoir enfermé dans le palais.

Après sa disparition, Étéocle et Polynice se disputent le pouvoir royal et prolongent la malédiction familiale en s'entretuant : le siège de la ville de Thèbes par la coalition des « Sept chefs » et la lutte fratricide sont développés par Eschyle *(Les Sept contre Thèbes)* et Euripide *(Les Phéniciennes)*.

Antigone : le dévouement de la fille et de la sœur

Antigone est l'ultime maillon de la chaîne maudite familiale : elle accompagne son père dans son exil jusqu'à Colone (Sophocle, *Œdipe à Colone*), puis elle est condamnée à mort sur l'ordre de Créon pour avoir enseveli son frère Polynice après le duel qui a opposé les deux frères ennemis (Sophocle, *Antigone*).

C'est à partir de cette tragédie, sans doute la plus admirée de toute l'Antiquité, que la postérité littéraire multipliera ses Antigones. Ainsi, dans *Antigone ou la piété* (1580), Robert Garnier consacre la fille d'Œdipe comme modèle de pieuse vertu et de compassion familiale ; dans *La Thébaïde ou les Frères ennemis* de Racine (1664), elle apparaît plus comme une amante de convention, en fiancée d'Hémon, qu'en fille ou sœur dévouée.

Pour le philosophe allemand Hegel, « père » de la dialectique moderne, les deux lois que représentent Antigone et son oncle Créon (lois écrites ou non écrites) s'opposent, cependant elles ne peuvent s'exclure dans le contrat moral et social de la Cité. C'est cette problématique fondamentale que développent les auteurs d'aujourd'hui (Anouilh, *Antigone*). La lutte d'une *dikè* (voir p. 188) contre une autre doit conduire à une nécessaire réconciliation, comme le note J.-P. Vernant : « Des deux attitudes religieuses que l'*Antigone* met en conflit, aucune ne saurait en elle-même être la bonne sans faire à l'autre sa place, sans reconnaître cela même qui la borne et la conteste. » (*Mythe et tragédie en Grèce ancienne, op. cit.* in bibliographie, p. 208). Avec son *Antigone* (1948), Bertolt Brecht finit de politiser le mythe. Figure de la résistance de l'individu face à l'État ou symbole de la puissance des « lois non écrites », Antigone occupe le premier rang dans la galerie des jeunes filles pures, capables d'aller jusqu'au bout dans leur volonté de refuser toute compromission.

III

PETIT DICTIONNAIRE GREC POUR LIRE LE MYTHE ET LA TRAGÉDIE

Les termes grecs ici présentés sont transcrits en caractères latins avec une orthographe phonétique.

Remarques :

1) -ch- (issu de la lettre chi*) se prononce comme dans « ar-*ch- *aïque ».*

2) -u- (issu de la lettre upsilon*) a donné y en alphabet latin :*

hubris ---→ *hybris.*

Agôn : lutte, combat ; toute forme de situation qui met « face à face » des forces agissantes (*agein*, agir), des « ant/*agon*/istes » (ainsi la dernière « lutte » de la vie est-elle une *agon*/ie).

Pour les Grecs, le mot *agôn* désigne donc aussi bien la compétition sportive (les jeux) que l'affrontement à l'assemblée (les débats politiques), au tribunal (les procès) ou à la guerre (les batailles). Au théâtre, il constitue l'enjeu fondamental : le conflit entre une volonté personnelle et des forces qu'elle doit braver.

Ainsi le prot/*agon*/iste (le « premier acteur » de la pièce) est celui qui doit assumer ce conflit avec les décisions qu'il impose : « Ce qui intéresse la tragédie n'est pas seulement de savoir qui est coupable et doit être châtié ; c'est, plus largement, le problème de la prise de décision. Dans la quasi-totalité des pièces qui nous sont parvenues, nous voyons le *protagoniste* en proie aux tourments d'un choix difficile entre des résolutions conflictuelles, ou obligé de trancher entre sa propre sécurité et un acte aux conséquences douteuses ou dangereuses. Que ferai-je ? – *ti drasô* – est un cri récurrent dans les moments de crise. » (Ch. Segal, « L'homme grec, spectateur et auditeur », in *L'Homme grec*, sous la direction de J.-P. Vernant, Seuil, 1993).

· **Anankè** : comme nom commun, l'obligation, la nécessité ; avec une majuscule, c'est la personnification de la Destinée à laquelle nul n'échappe, ni homme ni dieu (le *Fatum* des Romains, d'où vient notre « fatalité »).

Ainsi Zeus, le maître de l'Olympe en personne, a beau manifester sa préférence pour Troie et retarder le désastre, il ne peut empêcher « sa balance d'or » de faire plonger le « sort » d'Hector dans l'Hadès infernal (*Iliade*, chant XXII, vers 208-214).

Pour exprimer la loi incontournable de l'*Anankè*, « ce qui a été, est et sera », les mythes tragiques mettent en scène divers « interprètes-traducteurs », divins et humains, concrets ou symboliques. Évidemment, le public connaît l'histoire d'avance, mais il attend les « signes » qui vont susciter terreur et pitié (voir *katharsis*). Le public sait aussi que tous ces « interprètes » parlent par énigmes, car il n'est pas donné aux humains de connaître directement les voies/voix de la Providence :

• Les dieux sont les premiers gardiens-exécuteurs de la Destinée. Zeus et ses enfants (Apollon, Athéna) veillent directement à son application.

La parole de l'oracle est le principal moyen pour l'homme de connaître son destin : ainsi on peut écouter la voix de Zeus dans son sanctuaire de Dodone où les prêtres interprètent le bruissement du vent dans la forêt des chênes sacrés. Mais c'est surtout Apollon dit Phœbus (le Brillant) ou Loxias (l'Oblique) qui fait connaître « ce qui doit être » et ordonne la purification à ceux qui portent la souillure du crime (comme Oreste). Il dispose d'un lieu sacré pour dispenser sa « parole » : Delphes, le plus grand centre religieux de l'Antiquité, où affluent les pèlerins de tout pays pour consulter la Pythie, la prêtresse chargée de dévoiler ses sentences dans son temple.

• Certains mortels peuvent aussi avoir reçu le don de « lire » le destin :

Ainsi les devins Tirésias et Calchas « traduisent » les événements, le premier à Thèbes, l'autre pendant l'expédition contre Troie (souvent les devins sont aveugles, comme Tirésias, car leur cécité est la contrepartie symbolique de leur don de vue intérieure).

Ainsi Cassandre, la fille de Priam, a reçu d'Apollon le don de prophétie, sans pour autant pouvoir se faire entendre.

Mais il peut aussi arriver que la prophétie (littéralement « parole en avant » en grec) se manifeste par d'autres moyens proprement « énigmatiques », dont seuls certains « élus » sont capables de décoder les signes :

• Le rêve, dont les auteurs tragiques ont montré la capacité prophétique, bien avant les interprétations de la psychanalyse. Ainsi Hécube, enceinte de Pâris, rêve qu'elle met au monde une torche qui incendie Troie ; Clytemnestre, elle, rêve qu'elle accouche d'un serpent à qui elle offre son sein, alors qu'elle attend Oreste (voir pp. 83-85).

• Les ombres des morts apparaissent aux vivants comme des fantômes pour évoquer leur destin (ainsi Ulysse aux Enfers rencontre Agamemnon qui lui raconte sa mort).

• L'énigme du Sphinx permet à Œdipe de réaliser son destin et de trouver sa vérité.

Atè : traduit le plus souvent par « erreur » ou « égarement » ; personnifiée, c'est une puissance redoutable, « l'Égareuse », qui incarne la force du malheur s'abattant sur les êtres.

Si, à l'origine, l'erreur engendrée par l'*Atè* ne suscite aucun sentiment de culpabilité morale, par la suite, elle sera sentie comme une faute entraînant une punition. Soufflée par une volonté proprement sur-naturelle, elle se concrétise par un terrifiant moment de folie, plus ou moins bref, dont la conséquence est une « erreur » lourdement préjudiciable. Dans l'*Iliade*, c'est l'*Atè* d'Agamemnon qui l'a poussé à déposséder Achille de sa captive, provoquant ainsi sa fameuse colère. C'est l'explication qu'avance lui-même « le roi des rois » : « Ce n'est pas moi qui suis coupable [...] que pouvais-je faire ? C'est une déesse qui mène tout à bout : *Atè* la vénérable fille de Zeus, c'est elle, la maudite, qui égare tous les hommes ! Ses pieds délicats ne touchent pas terre ; ils ne font qu'effleurer les têtes des humains qu'elle prend tous dans ses filets et accable de maux. Et un jour elle a égaré Zeus lui-même, le roi des dieux et des mortels » (*Iliade*, chant XIX, vers 86-96).

L'homme frappé par l'Égareuse, littéralement « aliéné » par sa force irrationnelle, manifeste une conduite imprudente, dangereuse, inexplicable : folie, meurtre, suicide. « Quand donc s'achèvera, où donc s'arrêtera, rendormie, l'ardeur de l'Égareuse ? » interroge avec angoisse le coryphée en conclusion des *Choéphores* (Eschyle, vers 1074-1076).

Dikè : règle, droit, justice ; d'abord émanation de l'autorité divine, elle devient l'expression de l'ensemble des lois qui régissent la cité (voir *nomos* et *polis*).

Hésiode annonçait ainsi le règne de la Justice : « La justice (*dikè*) triomphe de la démesure (voir *hubris*) quand son heure est venue » (*Les Travaux et les Jours*, vers 217-218). Pour les Grecs, toujours très attentifs à un ordre du monde (*kosmos*) fondé sur une « juste » répartition de tous ses éléments, la justice est définie par la distribution du lot assigné à chacun (voir *Némésis*). C'est dans une perspective éducative que Platon, dans son dialogue *Protagoras*, prête au grand sophiste lui-même le mythe resté célèbre où la justice, qui permet la vie en société, apparaît comme le don suprême des dieux à l'ensemble de l'espèce humaine.

Avec le développement « politique » des cités grecques, la notion de justice sort du cadre mythique et religieux pour s'incarner dans le monde des hommes. À ce titre, la leçon de la trilogie d'Eschyle *L'Orestie* est particulièrement symbolique d'un changement radical des mentalités : elle accorde à Oreste l'occasion d'être jugé et acquitté par le premier tribunal humain, l'Aréopage athénien, avec la protection des « jeunes dieux », Apollon et Athéna, interprètes de la volonté du Père Zeus. Ainsi échappe-t-il au « talion sans merci » (*Choéphores*, vers 274), représenté par les terrifiantes Érinyes (voir ci-après).

Avec Antigone, on voit s'affronter deux *dikè*, selon la fameuse expression « lois écrites » /« lois non écrites ». Dans l'affrontement qui l'oppose à Créon, la fille d'Œdipe représente le poids d'une justice ancestrale, exercée par les forces archaïques du monde « d'en bas » (celui des morts, mais aussi des Moires et des Érinyes, filles des Ténèbres) où elle s'apprête à descendre.

Érinus : puissance primitive terrifiante, appartenant à la génération qui a précédé les dieux de l'Olympe, c'est « le fléau vengeur » chargé de punir les crimes de sang, et plus particulièrement ceux qui sont commis dans la famille (le parricide d'Œdipe, le matricide d'Oreste).

Hésiode en fait trois monstres femelles, les Érinyes, nées de Gaia, la Terre, fécondée par le sang et le sperme d'Ouranos, le Ciel, émasculé par son fils Cronos. La plus célèbre d'entre elles se nomme Mégère. Souvent comparées à des « chiennes », représentées avec des ailes, les cheveux hérissés de serpents, brandissant des torches, elles persécutent les coupables en les rendant fous (les Romains les appellent Furies).

Cassandre « flaire » leur présence dans le palais d'Agamemnon rentrant de Troie : « Ayant bu du sang humain pour mieux s'exciter, cette troupe d'Érinyes familiales reste à demeure, on ne la reconduit point » (Eschyle, *Agamemnon*, 1188-1190). Elles persécutent Oreste après le meurtre de Clytemnestre : « Nous l'étouffons sous le sang frais du crime », se délectent-elles en chœur dans *Les Euménides* (vers 355) ; et le meurtrier, pris de folie, supplie lui-même sa mère de l'épargner : « Ô ma mère, je t'en conjure, ne lance point contre moi ces vierges à l'œil sanglant, à la chevelure de serpents. [...] elles me tueront, ces faces de chiennes, au regard fascinant, ces prêtresses d'Enfer, ces terribles déesses ! » (Euripide, *Oreste*, vers 256-257 et 260-261, pp. 155-156). Cependant Oreste a conscience que ces monstres sont le produit de son imagination malade : « Ce sont des accès de démence, vengeurs du matricide » (*ibid.*, vers 400), confie-t-il à son oncle Ménélas, arrivé à Argos quelques jours après le meurtre. On voit comment Euripide intériorise les puissances démoniaques par cet effet de « psychologisation » rationalisante propre à son univers tragique.

Oreste ne sera délivré de sa folie que par la décision du tribunal de l'Aréopage. Ainsi est mis un terme à la « vendetta », cette malédiction héréditaire qui exige « sang pour sang » : après l'acquittement, refoulées symboliquement sous terre par Athéna, les redoutables Érinyes deviennent les Euménides, c'est-à-dire les « Bienveillantes » par euphémisme.

Hubris : toute forme de démesure, en paroles, en actes ou même seulement en pensée. Chez l'homme, la démesure suscite l'arrogance (au sens étymologique du verbe s'arroger, c'est-à-dire s'attribuer un privilège sans y avoir droit), un comportement et un état d'esprit marqués par l'orgueil et l'excès de confiance en soi.

Hésiode l'oppose à la justice (voir *Dikè*) et met en garde contre ses conséquences : « La démesure est chose mauvaise pour les pauvres gens ; les grands eux-mêmes ont peine à la porter, et son poids les écrase, le jour où ils se heurtent aux désastres » (*Les Travaux et les Jours*, vers 214-216).

Fondamentale dans la pensée grecque, l'*hubris* est un risque permanent de catastrophe : en effet, un succès ou un bonheur trop manifestes entraînent un danger surnaturel, surtout si l'on a l'orgueil de s'en vanter, car ils attirent l'attention, sinon la jalousie des dieux, comme les maisons et les arbres les plus élevés attirent la foudre. À la suite des récits mythiques racontant le châtiment exemplaire de ceux qui ont voulu défier la puissance divine, tel Tantale, les tragédies font de l'*hubris* le mal foncier, le « péché » dont le salaire est la ruine et la mort.

On voit donc comment se dessinent les étapes de la chaîne fatale pour les héros tragiques : excès (trop de bonheur, de réussite, de richesse) → orgueil → punition par l'autorité supérieure → ruine. Le seul moyen d'y échapper est dans ce *mèden agan* (« rien de trop »), inscrit au temple d'Apollon à Delphes avec le « connais-toi toi-même » *(gnôthi seauton)*, qui devait apprendre aux hommes la sagesse avec la conscience essentielle de leurs limites.

Katharsis : ce terme qui a suscité tant de commentaires est emprunté au vocabulaire médical ; il désigne littéralement l'action d'administrer un médicament « purgatif » pour « soulager » un estomac trop chargé.

C'est Aristote (384-322 avant J.-C.) qui en fait une métaphore littéraire, dans sa *Poétique*, pour expliquer le mécanisme de la tragédie sur son public : « Il convient de parler de la tragédie en reprenant la définition de sa nature propre, qui résulte de ce qui a déjà été dit. La tragédie est donc l'imitation d'une action noble, menée jusqu'à son terme avec une certaine étendue, dans un discours relevé d'assaisonnements agréables utilisés séparément, par espèces différentes, selon les parties de l'œuvre tragique. Il s'agit d'une imitation accomplie par des personnages en train d'agir, non par l'intermédiaire d'une narration ; par le moyen de la pitié et de la crainte, elle réalise la purgation *(catharsis)* des émotions de cette nature. Par "discours relevé d'assaisonnements agréables", je veux dire celui qui est formé par le rythme, la mélodie et le chant, et par "espèces différentes" le fait que certaines parties ne sont composées qu'en vers déclamés, tandis que d'autres sont accompagnées du chant » (*Poétique*, VI, 1449 b, 20-31, traduction A. C.).

On voit qu'Aristote considère la crainte et la pitié comme des émotions pénibles ; la *catharsis* a donc le pouvoir paradoxal de transformer le désagrément en soulagement, sinon en plaisir, ce qui n'a pas manqué de susciter des interprétations variées. D'un côté la peur de subir les maux, de l'autre le traitement qui consiste à les ressentir pour mieux les combattre. Pour les humanistes « classiques », la métaphore de la purge est la preuve de la moralité essentielle du théâtre : le spectacle tragique guérirait le spectateur de la tentation des passions mauvaises en lui montrant leurs conséquences terrifiantes et fatales. À partir du XIXe siècle, on a surtout retenu son application médicale concrète : la tragédie est assimilée à une sorte de traitement homéopathique qui nous protège des passions en nous les faisant éprouver sous une forme « épurée » grâce au filtre de la *mimésis* (la « faculté d'imiter » le monde, propre au genre théâtral).

Moira : au sens propre, la portion, le lot qui est assigné à chacun (vie, territoire, honneur, etc.), au sens figuré, la Destinée personnifiée, qu'Hésiode représente sous la forme de trois divinités, les Moires (les Parques dans la langue latine), filles de Zeus et de Thémis (Justice), installées aux Enfers et chargées de fabriquer le fil de chaque vie humaine.

La croyance dans la « portion » de vie qu'elle incarne témoigne de ce souci permanent des Anciens d'ordonner le monde selon des principes de répartition et de distribution : à chacun son lot ! Sous la forme du célèbre trio des vieilles fileuses, les Moires tissent l'écheveau des existences mortelles sans que nul ne puisse en déjouer le cours.

Némésis : la justice est d'abord l'expression religieuse de la *moira*, une « juste » distribution du lot assigné à chacun, personnifiée par la *Némésis* (au sens littéral « Justice distributive »). Son nom appartient à la famille du verbe *némein* (distribuer, partager), d'où est également issu le terme de *nomos* (ce qui est attribué en partage), qui précisément sert à désigner « la loi », celle des hommes dans la Cité, distincte de celle des dieux représentée par le terme *thémis*.

Nomos : la loi humaine qui assure à chacun une juste répartition (du verbe *némein*, distribuer, partager).

C'est avec la loi que va se fonder la notion de droit civique pour des individus « semblables » et responsables, réunis par les mêmes règles (l'*isonomia*, littéralement « lois égales », c'est-à-dire la législation des droits, base de la démocratie), et non plus pour de simples sujets soumis aux devoirs imposés par d'obscures forces transcendantes. *Nomô kaï dikè*, « par la loi et par le droit, devient le principe démocratique par excellence.

Polis : la cité au sens d'une communauté « politique » d'individus (citoyens) partageant les mêmes lois. Pour les tragiques grecs (Eschyle, Sophocle, Euripide), tous nés sur le sol attique, c'est Athènes qui représente la Cité par excellence, celle qui passe pour le berceau de la démocratie (*démos* désigne le peuple des citoyens et *kratos* le pouvoir). Son roi mythique Thésée représente les « vertus » du chef par excellence : générosité, équité, courage et sagesse.

Thémis : la loi divine et morale. Personnifiée, Thémis est fille d'Ouranos (Ciel) et Gaia (Terre) ; elle passe pour la deuxième épouse de Zeus et la mère des Moires (voir ci-dessus).

Tuchè : indissociable de la Nécessité, c'est le Hasard (la *Fortuna* des Latins) qui préside aux rencontres fortuites ; c'est pourquoi l'homme les voudrait toujours heureuses (*Agathè tuchè*, « bonne chance » est une rituelle formule de salut en Grèce). Mais le hasard peut aussi produire les accidents les plus imprévisibles : pourquoi Œdipe et Laïos se sont-ils trouvés sur le même chemin ? *Anankè* et *Tuchè* ont fait que « c'était écrit », selon une croyance populaire très largement répandue.

IV
CHRONOLOGIE DU THÉÂTRE GREC ANTIQUE (570 à 402 avant J.-C.) :
DES ORIGINES À LA DERNIÈRE TRAGÉDIE DE SOPHOCLE

Dates (avant J.-C.)	Événements historiques et politiques	Théâtre	Dates
vers 625 vers 592	Législation de Dracon à Athènes Réformes de l'archonte Solon (Athènes)	Épigénès de Sicyone passe pour avoir composé les premiers chœurs tragiques (dithyrambes) chantés en l'honneur de Dionysos	vers 570
561 à 510 550	Tyrannie de Pisistrate, puis de ses fils (Hipparque et Hippias) Cyrus, empereur perse, s'empare de l'Ionie	Thespis d'Ikaria et sa troupe ambulante : on lui attribue l'invention de la première tragédie (il en serait le premier acteur)	vers 550
550 à 510	Exonération des charges pour les pauvres ; urbanisation d'Athènes	Pisistrate introduit la tragédie dans les fêtes des Grandes Dionysies à Athènes : Thespis vainqueur aux premiers concours tragiques	536 (fin mars) ou 534 536-533
513 510 508-507	Assassinat d'Hipparque Hippias chassé par le clan des Alcméonides Réformes de Clisthène à Athènes : 10 tribus, magistrats tirés au sort	Naissance d'Eschyle à Éleusis (Attique)	525
499-498 494 494 (?)	Révolte des Grecs d'Ionie contre les Perses de Darius ; intervention d'Athènes Prise de Milet par les Perses ; soumission de toutes les villes grecques d'Asie Mineure Naissance de Périclès (Alcméonide)	Naissance de Sophocle à Colone (Attique)	495 (?)
492 à 479 août 490	Guerres médiques : Grecs contre Perses Victoire des Grecs à Marathon	Phrynichos, *La Prise de Milet* (tragédie perdue)	492
juillet 480 sept. 480 août 479 477	Les Spartiates massacrés aux Thermopyles L'acropole d'Athènes prise et incendiée par les Perses Victoire des Grecs à Salamine Déroute des Perses à Platées (Béotie) Fondation de la Ligue maritime de Délos dirigée par Athènes	Premier concours de comédies aux Dionysies Naissance d'Euripide dans l'île de Salamine	486 480 (?)
475-460 472	Luttes politiques entre conservateurs et démocrates à Athènes Périclès chorège des *Perses*	Phrynichos, *Les Phéniciennes* (tragédie perdue) Eschyle, *Les Perses* *Les Sept contre Thèbes* *Les Suppliantes*	475 472 467 463 (?)
461 460	Cimon (conservateur) ostracisé ; assassinat d'Ephialte (démocrate) Périclès poursuit la « démocratisation » d'Athènes (une loi exclut de la cité ceux qui ne sont pas depère et mère athéniens)	Eschyle, *Prométhée enchaîné* Eschyle, *L'Orestie* (trilogie comprenant : *Agamemnon, Les Choéphores, Les Euménides*) Mort d'Eschyle à Géla (Sicile)	entre 462 et 459 458 456

449	Paix de Callias entre Athéniens et Perses	Naissance d'Aristophane à Athènes	445 (?)
447	Début des reconstructions sur l'Acropole	Sophocle, *Ajax*	445
446	Paix de Trente ans entre Athènes et Sparte	*Les Trachiniennes*	444 (?)
443 à 429	Périclès élu stratège 15 années de suite	Sophocle, *Antigone*	440
	Phidias dirige le programme architectural de reconstruction de l'Acropole (Parthénon)	Euripide, *Alceste*	438
		Médée	431
431 à 404	Guerre du Péloponnèse : Athènes contre Sparte ; les Spartiates envahissent l'Attique		
431	Épidémie de peste à Athènes		
430	Périclès réélu stratège		
429	Périclès meurt de la peste		
		Euripide, *Hippolyte*	428
		Les Héraclides	426 ou 425 (?)
		Aristophane, *Les Acharniens*	425
424	Thucydide élu stratège à Athènes	Euripide, *Andromaque*, *Hécube*	424 (?)
		La Folie d'Héraclès	424 ou 423 (?)
		Aristophane, *Les Nuées*	423
421	Paix de Nicias entre Athènes et Sparte, mais rivalité constante	*Les Guêpes*	422
		La Paix	421
416	Alcibiade compromis dans l'affaire de la mutilation des statues d'Hermès à Athènes	Euripide, *Les Suppliantes*	422 ou 421 (?)
		Ion	entre 421 et 413
été 416	Expédition athénienne contre l'île de Mélos	Sophocle, *Œdipe roi*	420 (?)
415	Échec désastreux de l'expédition en Sicile conduite par Alcibiade	*Électre*	entre 418 et 414
		Euripide, *Les Troyennes*	415
414-412	Alcibiade passe dans le camp spartiate, puis dans celui des Perses	Aristophane, *Les Oiseaux*	414
		Euripide, *Iphigénie en Tauride*	414 (?)
	Effondrement de l'économie athénienne	*Électre*	413
411	Renversement de la démocratie à Athènes	*Hélène*	412 (?)
410	Victoire d'Alcibiade à Cyzique	Aristophane, *Lysistrata*	411
		Euripide, *Les Phéniciennes*	entre 410 et 407
407	Retour triomphal d'Alcibiade à Athènes	Sophocle, *Philoctète*	409
	Rétablissement d'une démocratie précaire	Euripide, *Oreste*	408
405	Défaite désastreuse des Athéniens à Aïgos Potamos ; ruinée, Athènes capitule	Mort d'Euripide à Pella (Macédoine)	406
		Mort de Sophocle à Athènes	406 ou 405 (?)
avril 404	Alcibiade, réfugié en Phrygie, est exécuté		
404-403	L'oligarchie des Trente tyrans (dont Critias), soutenue par les Spartiates, impose un régime de terreur	Euripide, *Iphigénie à Aulis*, *les Bacchantes*	405 (posthume)
		Aristophane, *Les Grenouilles*	405
		Sophocle, *Œdipe à Colone*	402 (posthume)
399	Procès et mort de Socrate à Athènes		

V

AU THÉÂTRE À ATHÈNES
au Ve siècle av. J.-C.

Une cérémonie religieuse et populaire, des poèmes sacrés chantés en l'honneur des dieux pour célébrer la fécondité de la terre, moissons et ripailles sous la protection de Dionysos, dieu du vin et de la fête, représentations mimées des exploits divins et héroïques où s'ébauchent les formes primitives d'un genre nouveau appelé au plus grand succès : Athènes invente le théâtre à la fin du VIIe siècle avant J.-C. (voir « Chronologie », pp. 194-195). Elle se glorifiera de perfectionner ces manifestations religieuses devenues culturelles et politiques comme un pur produit de la cité grecque. La tragédie est née et ne cessera de féconder l'imagination européenne : amplifiée par les auteurs latins comme Sénèque (Ier siècle après J.-C., elle apporte ses thèmes de réflexion et sa typologie des personnages aux créateurs à venir, de Shakespeare aux classiques français, de Goethe aux dramaturges modernes.

Elle garde de ses origines religieuses ses structures formelles et rituelles : son nom même – en grec *tragôdia* signifie le « chant du bouc », hymne sacré qui accompagne le sacrifice de l'animal favori de Dionysos – atteste clairement sa naissance liée à un culte divin [1]. Des dialogues s'introduisent peu à peu dans les chants du chœur qui entonne les hymnes, appelés dithyrambes, en l'honneur du dieu ; c'est au poète attique Thespis et à sa troupe ambulante que l'on attribue l'invention du premier acteur vers 550 avant J.-C. Le premier à se détacher du chœur pour déclamer un monologue de quelques vers, il provoque la colère du fameux législateur Solon qui, furieux, prédit le pire pour cette initiative sacrilège : jusqu'alors, dit-on, personne n'avait osé incarner l'un des héros dont le chœur chantait les exploits ! Le théâtre n'a pas fini de résonner de cette querelle : menteur pour les uns, puisqu'il fait semblant d'être un autre que lui-même, inspiré pour ceux qui lui devront les plus nobles émotions, l'acteur ne cessera plus de déchaîner passions et calomnies. Désormais l'échange se fait entre ce personnage nouveau et le chœur disposé en demi-cercle autour de lui.

De l'aire à blé primitive où l'on se réunissait pour célébrer les moissons dans la communion rituelle des chants mêlés de danses et de mimes, on passe rapidement à l'aménagement d'un lieu spécifique qui permet à un public toujours plus nombreux de venir assister à un véritable spectacle : ainsi naît l'espace théâtral lui-même, l'endroit « où l'on regarde », en grec *théâtron.* Selon la disposition du lieu utilisant une déclivité naturelle – une colline, par exemple –, on fait asseoir les spectateurs sur une pente en arc de cercle autour d'une aire aménagée en contrebas, l'*orchestra* (le mot *orchestès* signifie le danseur en grec), dont la forme rappelle l'aire à blé originelle. Sur son sol de terre battue, évolue le chœur autour

1. L'origine religieuse et rituelle de la tragédie a fasciné Nietzsche, qui liait son apparition à une exaltation religieuse et mystique propre au culte de Dionysos et opposée aux progrès desséchants du rationalisme (*La Naissance de la Tragédie*, 1872). R. Girard assimile le spectacle tragique au jeu rituel du bouc émissaire (*La Violence et le Sacré*, 1972). Mais ce problème des origines reste obscur : « Ce ne sont pas des boucs qui meurent dans les tragédies, mais des hommes » (J.-P. Vernant et P. Vidal-Naquet, *Mythe et Tragédie II*, 1986).

de l'autel traditionnellement consacré à Dionysos, la *thymélé* (voir les plans, p. 207).

La *skénè*, à l'origine de notre « scène », n'est au début qu'une simple baraque en bois (dans l'*Iliade*, ce mot désigne la tente d'Achille) disposée sur le bord de l'*orchestra* pour permettre aux acteurs de se changer ; par la suite, elle sera installée derrière elle, au centre, et présentera deux étages : son étage inférieur est formé d'une colonnade, le *proskénion*, dont le toit en terrasse sert de « scène » pour l'évolution des acteurs ; son étage supérieur constitue donc l'espace où ils jouent, devant la construction (la *skéné* proprement dite) dotée de trois portes ménageant leurs entrées et sorties. Ces portes sont utilisées en fonction d'une représentation géographique conventionnelle : au centre, la porte royale réservée aux acteurs jouant les rôles de seigneurs ou de rois ; sur les côtés, la porte des hôtes pour les étrangers et la porte des femmes.

Par rapport au public qui, assis dans le théâtre de Dionysos à Athènes, avait la ville à sa droite et la campagne à sa gauche, le chœur et les acteurs entrent par la droite quand ils viennent de la ville, par la gauche quand ils arrivent de la campagne : c'est là l'origine des expressions, toujours utilisées de nos jours, « côté cour » et « côté jardin ». Le décor est rudimentaire, simplement stylisé : temple, palais, tente, paysage marin ou rustique ; le mur du *proskénion* présente une décoration architecturale, ensuite complétée par des peintures de scènes (scénographies) dont l'invention est attribuée à Sophocle.

Ainsi donc l'action se joue sur trois plans, dont l'organisation spatiale matérialise une hiérarchie de nature éminemment symbolique : un plan inférieur pour le chœur qui évolue sur l'*orchestra* ; un plan intermédiaire pour les acteurs qui jouent sur l'avant de la *skénè*, appelé *logéion*, tous deux communiquant par des rampes inclinées, les *parodoi*, situées entre l'extrémité des gradins et le *proskénion* ; enfin un plan supérieur, le *théologeion*, sorte de balcon pour les apparitions des dieux. Celles-ci se font grâce à la *méchanè* (machine), une espèce de nacelle suspendue à un bras pivotant, telle une grue, pour transporter la divinité dans les airs. Ces interventions divines, fréquentes pour parachever un dénouement merveilleux, sont à l'origine de l'expression latine *deus ex machina*, « le dieu hors de la machine », pour désigner l'artifice d'une conclusion plus heureuse que vraisemblable dans une situation tragique.

On utilise encore une autre machine, roulante cette fois, l'*ekkyklèma*, pour présenter sur une plate-forme les acteurs censés jouer une scène d'intérieur : c'est ainsi que les spectateurs voient apparaître les cadavres d'Égisthe et de Clytemnestre à la fin des *Choéphores* d'Eschyle et *d'Électre* d'Euripide. Bruit terrifiant du tonnerre, apparitions merveilleuses : voilà les ancêtres de nos modernes effets spéciaux !

Dans ce cadre architectural conventionnel à ciel ouvert – bâti d'abord en bois puis en pierre à partir du IVe siècle avant J.-C. (ainsi le célèbre théâtre d'Épidaure et celui de Dionysos au flanc de l'Acropole) –, comment se déroule une représentation à l'époque d'Euripide ? Tout d'abord celle-ci est liée au rituel précis d'une cérémonie religieuse, comme on l'a vu pour ses origines : à Athènes, ce sont les fêtes consacrées à Dionysos, les Lénéennes (fête des pressoirs) en hiver, vers la fin de janvier, et les grandes Dionysies, qui, au début du printemps (fin du mois de mars), quatre jours durant, rassemblent une foule considérable. Les représentations théâtrales (trois jours pour les tragédies – un jour pour chacun des trois auteurs retenus en compétition –, un jour pour les comédies) sont le point culminant des festivités en l'honneur du dieu de l'extase dionysiaque et les Athéniens les attendent avec la plus grande impatience.

Contrairement au théâtre moderne où le succès d'une pièce se juge au grand nombre des représentations, l'œuvre n'est jouée qu'une seule fois, mais elle fait l'objet d'un concours, instauré par le tyran d'Athènes Pisistrate en 536 (ou 534) avant J.-C. et dont le premier vainqueur est Thespis. Les auteurs les plus prestigieux s'affrontent à travers leurs créations pour remporter des prix très convoités, accompagnés d'une gratification financière importante, qui assureront leur gloire dans toute la Grèce. Cette compétition n'a guère à voir avec le cérémonial aristocratique de notre théâtre classique : dans une ambiance orgiaque de fête populaire, beaucoup plus proche par l'esprit de certaines manifestations musicales contemporaines, le drame antique est l'expression d'un engouement collectif.

Les fêtes commencent par un jour férié : lors de la cérémonie d'inauguration, des hommes vêtus de robes aux couleurs vives déambulent en procession, portant d'énormes symboles phalliques qui annoncent l'arrivée du printemps, saison de la fertilité. Puis on sacrifie un taureau dans l'enceinte consacrée à Dionysos sur le versant sud de l'Acropole. La plupart des quelque dix-sept mille spectateurs qui participent à cette première journée se sont levés tôt, dès l'aube, pour envahir les gradins du théâtre provisoirement aménagé dans le sanctuaire et occuper les meilleures places [1].

Pour une somme modique, on achète son billet à l'entrée – un simple morceau de plomb [2] – et si l'on est mécontent de sa place, on peut toujours s'adresser aux nombreux revendeurs qui se tiennent aux portes du théâtre. On apporte ou on loue des coussins pour rémédier à l'inconfort de gradins très étroits. Il y a souvent des bagarres car les premiers rangs sont réservés aux magistrats, aux prêtres, aux dignitaires de la cité et aux ambassadeurs étrangers qui sont les seuls à disposer de sièges munis d'accoudoirs et de dossiers *(prohédria)*. Prétentieux et arrivistes sont prêts à tout pour s'asseoir près d'une personnalité en vue ! Il est vrai que la représentation deviendra vite un phénomène social à la mode qui exige tout autant d'être vu que de voir : spectateurs

1. Dans *Le Banquet*, Platon évoque trente mille spectateurs à Athènes : chiffre sans doute quelque peu exagéré, mais qui reste vraisemblable.

2. Ce jeton d'entrée représente le *théorikon*, l'équivalent de deux oboles (une obole constitue le sixième de la monnaie de base, la drachme d'argent) ; il est offert aux citoyens pauvres depuis Périclès.

des deux sexes rivalisent d'élégance, chacun porte ses plus beaux vêtements de fête et se coiffe d'une guirlande de lierre, mode pratiquement obligée de l'époque. Sur les gradins les plus élevés, les femmes, placées toutes ensemble, les jeunes gens, les métèques ; les plus pauvres ont reçu des places gratuites ; à l'écart, sur les gradins les plus éloignés, le « fief des prostituées » ; seuls les esclaves sont exclus.

Il faut apporter de quoi manger et boire pour « pique-niquer » sur place, car la journée sera longue. Lors des concours tragiques, ce sont quatre pièces qui s'enchaînent : une « trilogie » sur le même sujet, suivie d'un drame « satyrique », divertissement railleur où l'on retrouve les traditionnels compagnons de Dionysos, les satyres, et qui détend les spectateurs après l'émotion des œuvres précédentes. La dose peut paraître excessive pour une seule journée, cependant les drames grecs ne duraient pas très longtemps, sans doute pas plus d'une heure et demie. Le public participe de bon cœur et manifeste bruyamment son opinion : on conspue les mauvais acteurs, on acclame les beaux discours, on lance des fruits, des noix, ou même des pierres si l'on est déçu, on se livre à quelques débordements violents. La claque est d'autant plus énergique qu'à la fin des festivités la couronne de lierre (la plante consacrée à Dionysos), sorte d'oscar avant la lettre, viendra récompenser la meilleure pièce désignée par les *kritai* : ce sont dix « juges » tirés au sort et rassemblés en un jury qui doit établir le classement des œuvres ; leur nom comme leur fonction annoncent nos futurs « critiques ». Euripide, si populaire que les soldats récitaient par cœur des passages entiers de ses œuvres, ne fut pourtant couronné que quatre fois alors qu'Eschyle et Sophocle (dix-huit fois) avaient accumulé les premiers prix en leur temps.

Toutes les classes de la société se passionnent pour ces compétitions animées qui représentent un véritable « service public » : les citoyens les plus riches d'Athènes doivent payer un super-impôt, la *chorégie*, afin de financer les représentations en l'honneur de Dionysos. Nommés *chorèges*, les gros contribuables, pris dans chacune des dix tribus de la cité, recrutent les chœurs et les comédiens qu'ils doivent entretenir, habiller, parer pour le spectacle (ainsi le jeune Périclès fut le chorège des *Perses* d'Eschyle en 472 avant J.-C.).

Les magistrats qui gouvernent la cité, les *archontes*, sélectionnent les poètes qui ne manquent pas de venir de toutes les villes de Grèce pour participer aux concours : il ne doit rester que trois concurrents pour la tragédie. On demande aux auteurs de mettre eux-mêmes leurs pièces en scène et d'engager le maître des chœurs qui choisit à son tour les joueurs de flûte et les choreutes. À l'issue du concours, le chorège, l'auteur et l'acteur principal plébiscités reçoivent la prestigieuse couronne de lierre, décernée par l'archonte en plein théâtre [1] !

Quant aux comédiens, ce sont tous des hommes : aucune femme ne se produit en public, car elles sont exclues de toute manifestation liée à la religion ; même dans les comédies d'Aristophane, leurs rôles sont donc tenus par des acteurs déguisés et masqués. Réduit à un seul personnage à l'origine, le nombre de ceux-ci passe progressivement à trois, à l'initiative de Sophocle, dit-on, et leur jeu devient essentiel au détriment du chœur : le *protagoniste* (voir pp. 185-186) est l'acteur principal, le chef de troupe, souvent le poète lui-même, et il occupe presque continuellement la scène ; le *deutéragoniste* (deuxième acteur) et le *tritagoniste* (troisième acteur) lui donnent la réplique. Chaque acteur doit se changer dans la baraque de la *skéné* pour pouvoir tenir plusieurs rôles. (Les rôles muets sont tenus par de simples figurants.)

Les costumes obéissent à des conventions formelles stéréotypées : sur des maillots à manches, les femmes et les personnages de sang royal portent des tuniques

1. Le poète vainqueur peut offrir à ses amis un magnifique repas aux frais de la cité. La seconde place est encore assez honorable ; la troisième marque l'échec. Le chorège reçoit un trépied : l'usage est de confier cet objet glorieux à une divinité dans son temple ou de le placer dans la rue des Trépieds qui conduit au théâtre de Dionysos.

longues à l'orientale, rembourrées et surchargées de broderies, de couleur pourpre pour les rois, blanches ou de teintes vives pour les princesses. Pour les fugitifs et les malheureux, la couleur est grise, verte ou bleue, noire pour le deuil. Les esclaves et les messagers revêtent des costumes plus simples, conformes à leur condition. Tous portent perruques et masques différents selon les rôles.

Les masques sont le plus souvent en toile, chiffons stuqués et plâtre mis en forme dans un moule, selon l'expression figée qui doit figurer le caractère fondamental du rôle : ils agrandissent le visage, mais rendent évidemment impossibles les jeux de physionomie ; leurs grosses lèvres doublées d'un pavillon dissimulé servent de porte-voix. Des accessoires divers complètent chaque tenue : épée pour le guerrier, bâton pour le vieillard ou le devin, châle de pourpre enroulé autour du bras gauche pour le chasseur.

Les chaussures, appelées *cothurnes*, sont, à l'origine, des bottines souples à tige assez haute, qui deviendront plus tard des brodequins surélevés à semelle très épaisse. Elles donnent aux acteurs plus de hauteur pour être mieux vus, mais aussi plus de majesté dans leurs déplacements, une démarche saccadée que Lucien, auteur satirique du IIe siècle après J.-C., dépeint avec humour à travers le regard prétendument naïf d'un étranger de passage à Athènes, Anacharsis : « J'ai vu ceux que l'on nomme les acteurs tragiques et comiques, si du moins ils le sont, chaussés de souliers lourds et élevés, l'habit bigarré de bandelettes dorées, casqués de masques tout à fait ridicules avec une bouche grande ouverte ; du fond de leur masque, ils avaient poussé de grands cris et ils déambulaient à grands pas – je ne sais comment, sans glisser – montés sur leurs chaussures. C'est en l'honneur de Dionysos, je crois, que la cité célébrait alors des fêtes. Quant aux comiques, ils étaient plus petits que les autres, ils allaient à pied, plus proches de simples humains en apparence, et ils criaient moins, mais leurs masques provoquaient davantage de rires. En fait le théâtre tout entier riait à leur propos ; mais ce sont les autres, juchés sur leurs hauteurs, que tous les spectateurs écoutaient avec gravité, les plaignant, je pense, de traîner péniblement à leurs pieds de si lourdes entraves » (*Anacharsis*, traduction A. C.)

De façon générale, loin de la trop classique image de la splendide nudité du marbre que l'on veut prêter à la Grèce, la scène étale le luxe bariolé de la foire et des fards asiatiques.

Face à des acteurs qui représentent des êtres d'exception, héros, princes ou rois dont la légende exemplaire illustre splendeurs et misères de la condition des mortels, le chœur, déguisé sans être masqué, est l'émanation d'une humanité moyenne, aux préoccupations plus proches du quotidien : servantes, vieillards, compagnons d'infortune, ils expriment le bon sens populaire fondé sur l'expérience et l'humilité. Constitué de douze membres à l'origine, quinze à partir de Sophocle, le chœur est mené par le *coryphée* (le seul à dialoguer avec les acteurs) ; il évolue sur l'*orchestra* en chantant et dansant au son d'une unique flûte dont le joueur est assis sur l'autel de Dionysos. La structure de la tragédie est régie par l'alternance de ces chants, qui conservent la métrique complexe et les formes dialectales de la poésie lyrique, et les dialogues parlés des acteurs qui utilisent une langue plus quotidienne formulée en vers réguliers. L'ensemble ressemble sans doute plus à un opéra qu'à la tragédie classique française [1].

Jouée sans rideau, la pièce n'est pas divisée en actes, mais les différentes parties de l'action, appelées « épi-

1. « C'est devenu un lieu commun, bien avant Nietzsche, de montrer quelle idée imparfaite nous avons de la tragédie réduite à son seul texte littéraire (souvent, d'ailleurs, altéré ou difficile à interpréter sûrement) ; dépouillée de la musique et de la danse qui en faisaient un spectacle complet, isolée de l'atmosphère de la cité athénienne qui lui donnait sa véritable résonance, elle nous apparaît, quels que soient les efforts de notre imagination, déformée et trahie. On connaît les tentatives des modernes, depuis Monteverdi jusqu'à Wagner, pour essayer d'en retrouver l'esprit dans des formes d'art où prédominait la musique » (Raphaël Dreyfus, *in* Introduction générale des *Tragiques grecs, Eschyle et Sophocle*, Gallimard, La Pléiade, 1967).

sodes », sont séparées par les parties lyriques du chœur [2]. En général, on distingue un prologue (monologue ou dialogue) qui forme l'exposition de la pièce, puis la *parodos* ou entrée du chœur, plusieurs épisodes (deux à cinq) divisés par les chants ou *stasima* (le *stasimon* est une intervention chantée du chœur), enfin, l'*exodos* (sortie du chœur et des acteurs), qui constitue le dénouement exposé souvent sous la forme d'un récit par un messager. C'est le plus souvent le coryphée qui a le dernier mot. Progressivement, au cours du ve siècle avant J.-C., on assiste à une réduction des parties lyriques au profit des dialogues dramatiques. Signe de cette évolution, les titres des pièces : ceux d'Eschyle désignent souvent les membres du chœur *(Les Choéphores, Les Suppliantes)*, ceux d'Euripide plutôt le personnage principal *(Andromaque, Hécube, Iphigénie)*, manifestant par là que l'intrigue et la psychologie prennent le pas sur la méditation lyrique. Ainsi, le chœur, très important chez Eschyle (voir *Les Sept contre Thèbes*), finira par disparaître complètement (il n'existe plus dans les tragédies de Sénèque imitées d'Euripide).

Colères divines, malédictions, meurtres, vengeances sanglantes, sacrifices nourrissent la trame dramatique. Aucun souci de réalisme n'est recherché dans la représentation : elle se doit d'être une cérémonie hiératique, solennelle et impressionnante. Elle constitue un considérable événement humain et culturel qui consacre la prise de conscience de l'individu par le biais d'une représentation symbolique – Aristote la théorisera avec la « purgation » des passions, la *catharsis* (voir p. 191) – ainsi qu'une manifestation sociale et politique de premier plan dans la vie de la cité.

Elle emprunte sa matière à l'épopée née de la mythologie et des divers récits légendaires répandus par la tradition orale : le monde héroïque que tous les citoyens connaissent à travers l'œuvre d'Homère et d'Hésiode

2. La division en actes était inconnue des Grecs et date seulement, chez les Romains, de l'époque de Varron (Ier siècle avant J.-C.). L'espace théâtral grec est donc constamment rempli par les acteurs et/ou le chœur.

constitue pour la cité son passé glorieux et familier ; pour un peuple nourri des joutes oratoires de la dialectique, la tragédie marque le triomphe de la parole poétique et rationalisante sur les désordres de l'ignorance. « La tragédie prend naissance quand on commence à regarder le mythe avec l'œil du citoyen » (J.-P. Vernant et P. Vidal-Naquet, *Œdipe et ses mythes*, Complexe, 1988) : les aventures d'Œdipe ou d'Oreste ne sont plus de simples récits ; leurs épreuves, « mimées » en direct, marquées par l'*hubris*, orgueil et démesure, font désormais « problème », instaurant l'avènement d'une conscience tragique de l'existence humaine.

L'apogée du théâtre grec – toutes les pièces conservées ont été écrites entre 472 et 404 avant J.-C.[1] – manifeste aussi l'éclat de la démocratie athénienne dans ce fameux « siècle d'or » dont on s'est plu à glorifier le classicisme pour le rapprocher de notre propre siècle classique, le XVIIe siècle, qui verra également le plein épanouissement de la tragédie. Chacun des trois grands dramaturges promis à une postérité exemplaire contribue à l'élaboration d'une réflexion sur la condition de l'homme dans un univers régi par l'*anankè*, le destin tout-puissant auquel les dieux mêmes sont soumis : après Eschyle (525-456 avant J.-C.) qui fait de la créature humaine l'instrument obéissant de la puissance divine, en concurrence avec Sophocle (495-406 avant J.-C.) qui exalte avec sérénité la noblesse du héros assumant son destin, Euripide (480-406 avant J.-C.) traduit l'angoisse de la déréliction. Accusé d'impiété et de misanthropie, marqué par le scepticisme, il pose la question qui déroute ses contemporains, celle qui avance l'existence de l'homme sans dieu : « Que penser, ô Zeus ? Veilles-tu sur les hommes ou est-ce en vain qu'on t'en donne le nom ? Est-ce faux, ce qu'on croit, qu'il existe des dieux ? Le hasard seul a-t-il les yeux ouverts sur le monde ? » (*Hécube*, vers 488-491).

1. Dès l'Antiquité, la popularité des trois grands tragiques explique la multiplication des copies manuscrites qui ont permis la survie d'une partie de leurs œuvres (19 pièces complètes pour Euripide ; 7 pour Eschyle ; 7 pour Sophocle).

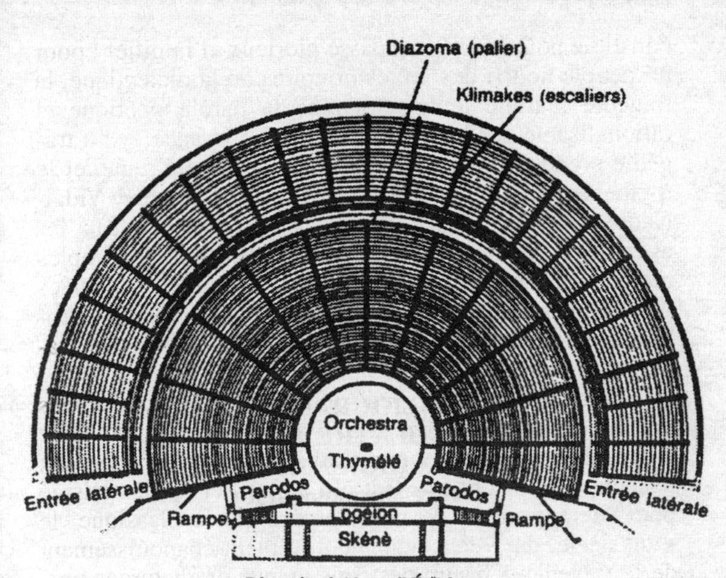

Plan du théâtre d'Épidaure
Le plus complet des théâtres grecs,
construit en marbre blanc par Polyclète le Jeune (IVe s. av. J.-C.).

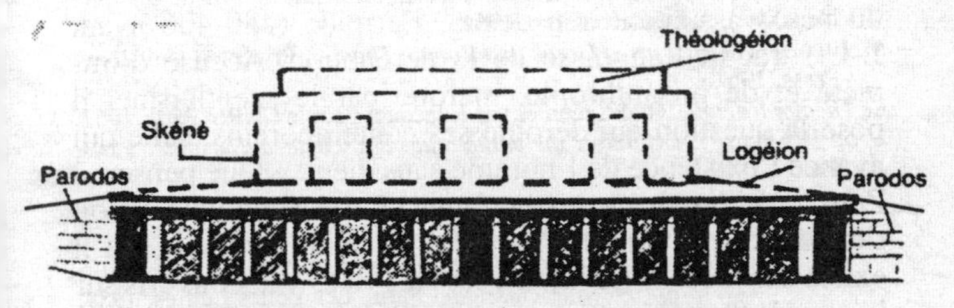

Proskénion du théâtre d'Épidaure (restauration)
Ce mur haut de 2,53 m avait l'aspect d'un portique décoré
de demi-colonnes ioniques.
Entre les colonnes, on plaçait des panneaux peints.
On peut imaginer, à l'étage supérieur, le *logéion* devant la *skénè*
avec ses trois portes et le balcon du *théologeion*.

VI

BIBLIOGRAPHIE
SUR LE THÉÂTRE TRAGIQUE
DANS LA GRÈCE ANTIQUE
(ordre chronologique)

F. NIETZSCHE, *La Naissance de la tragédie*, 1872, trad. fr. Paris, Le Livre de poche, 1994, n° 4625.

O. NAVARRE, *Le Théâtre grec*, Paris, Payot, 1925.

Les Représentations dramatiques en Grèce, Paris, Les Belles Lettres, 1929.

M. DELCOURT, *La Vie d'Euripide*, Paris, Gallimard, 1930.

E. JALOUX, *D'Eschyle à Giraudoux (Actualité de la tragédie grecque)*, Fribourg, Egloff, 1946.

A. BONNARD, *Le Tragique et l'homme, Études sur le drame antique*, Neuchâtel, À La Baconnière, 1951.

M. BIEBER, *The History of Greek and Roman Theater*, Princeton University Press, 1961.

Le Théâtre tragique, études réunies par J. Jacquot pour le CNRS, Paris, 1962.

J. DE ROMILLY, *L'Évolution du pathétique, d'Eschyle à Euripide*, Paris, P.U.F., 1962.

La Tragédie grecque, Paris, PUF, coll. SUP., 1970.

Le Temps dans la tragédie grecque, Paris, Vrin, 1971.

Patience, mon cœur ! L'essor de la psychologie dans la littérature grecque classique, Paris, Les Belles Lettres, 1984, rééd. 1991.

La Modernité d'Euripide, Paris, PUF, 1986.

G. STEINER, *La Mort de la tragédie*, trad. fr., Paris, Le Seuil, 1965.

Les Antigones, Gallimard, 1986.

J.-M. DOMENACH, *Tragique et tragédie* in *Le Retour du tragique* (pp. 21-70), Paris, Points/Seuil, 1967.

A.-J. FESTUGIÈRE, *De l'essence de la tragédie grecque*, Paris, Aubier Montaigne, 1969.
J.-P. Vernant et P. Vidal-Naquet, *Mythe et tragédie en Grèce ancienne I*, Paris, Maspéro, 1972.
Mythe et tragédie II, Paris, La Découverte, 1986.
R. GIRARD, *La Violence et le sacré*, Paris, Grasset, 1972.
G. RACHET, *La Tragédie grecque*, Paris, Payot, 1973.
H. C. BALDRY, *Le Théâtre tragique des Grecs*, trad. fr. Paris, Maspéro, 1975, rééd. Pocket Agora, 1985.
G. DEVEREUX, *Tragédie et poésie grecques, Études ethnopsychanalytiques*, trad. fr., Paris, Flammarion, 1975.
J. KOTT, *Manger les dieux : essais sur la tragédie grecque et la modernité*, trad. fr. revue par l'auteur, Paris, Payot, 1975.
P. GHIRON-BISTAGNE, *Recherches sur les acteurs dans la Grèce antique*, Paris, Les Belles Lettres, 1976.
S. SAÏD, *La Faute tragique*, Paris, Maspéro, 1978.
J.-P. VERNANT et F. FRONTISI-DUCROUX, *Le Masque du rite au théâtre (I) : Grèce ancienne*, Paris, CNRS,1985.
M. TRÉDÉ-BOULMER et S. SAÏD, *La Littérature grecque d'Homère à Aristote*, Paris, PUF, 1990, Que sais-je ?, 1990, n° 227.
Ch. MEIER, *De la tragédie grecque comme art politique* (traduction), Paris, Les Belles Lettres, 1991.
Analyses et réflexions sur Œdipe roi de Sophocle (ouvrage collectif), Paris, Ellipses, 1994.
P. DEMONT et A. LEBEAU, *Introduction au théâtre grec antique*, Paris, Le Livre de poche, 1996.

Articles et dossiers :

R. BARTHES, « Pouvoirs de la tragédie antique » in *Théâtre populaire*, n°2, 1953.
« Comment représenter l'antique ? » in *Les Essais critiques*, Paris, Le Seuil, 1964.
« Le théâtre grec » in *Histoire des spectacles*, Paris, La Pléiade, N.R.F., 1965.
F. ROBERT, *Le Bouc de la tragédie*, Actes du VIIe congrès de l'Association Guillaume Budé à Aix-en-Provence (avril 1963).
Théâtre/Public n° 88-89 : « Un théâtre de la cité ».
Théâtre/Public n° 100 : « La tragédie grecque et la scène actuelle ».
Travail théâtral n° 30 (1978) : « Entretiens de M. Millon avec J.-P. Vernant et P. Vidal-Naquet ».
Art Press, n° spécial « Le théâtre » : « La tragédie entre deux mondes », interview de J.-P. Vernant par M. Millon ; « Le proche et le lointain » par M. Millon.
Théâtre aujourd'hui n°1 : « La Tragédie grecque, Les Atrides au Théâtre du Soleil », Paris, CNDP, 1992.
Dramaturgie et actualité du théâtre antique, Toulouse, Presses Universitaires du Mirail, 1992.

TABLE DES MATIÈRES

IMPRIMÉ EN FRANCE PAR BRODARD ET TAUPIN
6904U-5 Usine de La Flèche, le 15-09-1998
Dépôt légal : septembre 1998
Imprimé en France

POCKET – 12, avenue d'Italie 75627 Paris Cedex 13
Tél. 01.44.16.05.00